24 南宋
西元1127～1276年

［注音本］

全新 吳姐姐講歷史故事

吳涵碧◎著

目錄

【第528篇】

滿朝都是賊。

宋光宗身體衰弱，大臣趙汝愚擔心朝廷中空，引起內外惶惑，於是趙汝愚與韓侂胄合謀，搬出了太皇太后吳氏（孝宗后），請光宗內禪，引嘉王入宮，是爲宋寧宗。

趙汝愚是個標準的理學家，他做這件事，完全是爲國家謀，沒有絲毫圖私利的目的，但是，韓侂胄可就不同了。

韓侂胄是北宋名臣韓琦的五世孫，太皇太后吳氏的姨姪，和宋光宗算起來是姨表兄弟，因爲有這層關係，趙汝愚才找他商量。

當時，韓侂胄官拜知閤門事，官位也不算小了，然而人的野心是很難滿足的，他認爲寧宗能夠當上天子，自己也有一份功勞，便去找趙汝愚建議朝廷議定策之功，趙汝愚馬上搬出道學家那一套：『我爲宗臣，你是外戚，本來應該爲朝廷做事，不能言功。』韓侂胄被澆了一盆冷水，心中怏怏。

韓侂胄雖然沒有邀到功，但是他的姪女韓氏當上了皇后，他原本又是太皇太后的姨姪，所以能夠自由自在的出入朝廷，從中弄權用事。

趙汝愚崇尚理學，推荐大理學家朱熹爲講筵侍講，朱熹當面勸諫寧宗，韓侂胄是外戚小人，應當疏遠。韓侂胄很惱火，找來一批優伶，扮做大儒

模樣以諷刺朱熹，朱熹一怒而去，他又用『以同姓居相位，將不利於社稷』爲由，逼走趙汝愚，韓侂胄一時權傾天下。

宋寧宗除了把韓侂胄視爲心腹，還寵信一個宦官王德謙，韓侂胄決意除掉他。

韓侂胄先備了幾色厚禮去巴結王德謙，甚且拉著王德謙的手喊哥哥，兩人一見如故，結拜金蘭，王德謙遂收了一個乾弟弟，經常小宴對酌，相處甚歡。

有一回在面酣耳熱之際，韓侂胄諂媚的說：『哥哥對朝廷有大功勞，應該建節鉞。』所謂節鉞，指的是符節與斧鉞，節是以牦牛尾作裝飾的符信，鉞是大斧。古時軍隊出征，天子授大節鉞，以示威信。

王德謙有些兒心動，但是他畢竟知道自己的身分，尤其宋朝不比唐朝，從來沒有宦官專權出使的例子，因此惶惑的問著：『我是閹官啊！可有此前例嗎？弟弟你可不要誤我。』

韓侂冑拍著胸脯道：『我親自上奏陛下，馬上宣麻，你等著聽好消息就是了！』所謂宣麻，指的是宋朝任免將相，用黃、白麻紙書寫詔書，當衆宣告於朝廷，稱爲宣麻。

王德謙大喜過望，連連舉杯敬酒。

事實上，韓侂冑向寧宗告密：『王德謙苦苦哀求要建節鉞。』寧宗大怒，馬上下令處死王德謙。

王德謙這下可慌了，事實上他原本不敢痴心妄想建節鉞，急得猛拉韓侂胄的袖子，抽抽搭搭哭泣：『弟弟誤我，弟弟誤我，現在怎麼辦？』

『好哥哥，你放心，你只要出北關數里，立刻便有詔返回，我還會騙你不成？』韓侂胄不斷的安慰王德謙，王德謙這才破涕爲笑，再三打躬作揖拜謝『好弟弟』。

結果，王德謙出了北關不久便賜死了，一直到死前，他還不曉得這是韓侂胄的一著毒計，假如王德謙不這麼貪，自己去向寧宗解釋清楚，也許不會惹來殺身之禍。

除掉王德謙之後，韓侂胄大權在握，在生活享受方面更是直追皇帝。他在吳山建築了一座中國古典式的庭園，稱之爲南園，南園之中竹籬茅舍，宛如田家。落成之日，韓侂胄領了一批爪牙去參觀，他看來看去，十分滿意，深深的呼吸了一口新鮮空氣道：『這地方眞好，像極了田園，只可惜少了雞鳴犬吠也。』

說也奇怪，頃刻之間聽到了喔喔喔的雞鳴，也聽到了汪汪汪的狗吠，南園之中何時跑來了雞狗，衆人都十分訝異的四下尋找，結果發現是府尹趙師𢍰在學口技，忍不住大家都笑起來了，趙師𢍰還好得意。

趙師𢍰這個人爲了想往上爬，什麼手段都使得出來，他曾經買了許多名貴的珍珠，分贈給韓侂冑的小妾們，小妾們戴上了晶瑩剔透的珍珠出遊，人人稱羨。諸妾們爲了感恩圖報，每個人都在韓侂冑面前極力誇獎趙師𢍰，既然『民意輿論』一致好評，趙師𢍰自然扶搖直上。當時的人寫了一首打油詩譏嘲趙師𢍰『堪笑明廷鵷鷺，甘作村莊犬雞』——可笑那朝廷裡的鳳凰白鷺，竟然在南園村莊學做犬雞。

另外還有一個人許及之也夠無聊無恥的了。他因爲接連兩年沒有升官，可憐兮兮跑來韓侂胄前面哭訴，委委屈屈說了半天，不自覺膝蓋就軟了，最後竟然跪倒在地。韓侂胄下巴抬得高高的，在充分滿足了虛榮心之後，很慷慨的施捨了許及之官位。

不久，韓侂胄過生日，許及之來晚了，進不去大門，竟然從狗洞中爬入，衆人皆笑，韓侂胄更覺得面子十足，最後，許及之竟然做到了尚書。當時人也寫了一首打油詩嘲笑他是『由竇尚書，屈膝執政』，竇就是洞的意思。

由於滿朝都是小人用事，烏煙瘴氣，市井之人竟然印了紙片沿街兜售，紙面上畫著漲潮時出現的一群烏賊，一塊錢賣一本，許多兒童拿著畫片兒，口中唸著『滿潮都是賊』，影射著滿朝文武都是賊，結果這些兒童全被捉來打屁股，許多兒童挨了打還是照唱不誤，可見得小朋友也有明辨是非的正義感。

閱讀心得

【第529篇】韓侂冑引火自焚。

話說韓侂冑當權用事，氣焰萬丈，但是朝廷上上下下都反對他，連小孩都編了歌謠罵他是『烏賊』。韓侂冑愈是攻擊朱熹，朱熹的聲望愈高，慶元六年，朱熹病卒，四方仰慕的生徒，聚集在信州，爲朱熹送喪，尊奉朱熹爲聖賢，甚且有呂祖泰上書，要求誅殺韓侂冑以謝天下。

這個時刻，韓侂冑逐漸發現道學家惹不起，慢慢的開了『僞學黨禁』，一部分被貶謫的人也都恢復了官職，可是，韓侂冑所種下的矛盾，並沒有因此而消除。

有人勸韓侂胄『立蓋世功名以自固』，所謂的蓋世功名就是北伐金人，收復失土，那就成爲宋朝的大英雄了。韓侂胄明白自己的形象太壞，確實有修正的必要，因此大爲振奮，急著要去攻打金人。

『恢復失土，還我河山，以雪靖康之恥』這本來是南宋朝野有志之士共同的願望。孝宗淳熙年間，即有婺州人氏陳亮連續上書，大倡恢復之議，他的文章慷慨激昂，大大轟動一時，後來雖然陳亮的建言沒有被採納，但是這篇文章影響極爲深遠(請參考前面所講陳亮的故事)。

寧宗之後，光復的呼聲更高，恰好金章宗時，金朝內部頗爲安靖，北方韃靼(即蒙古)作亂，群盜蜂起，金人忙著討伐，國勢衰弱，於是韓侂

胄積極提倡用兵北伐。

恰好此時浙東安撫使辛棄疾求見，辛棄疾是了不起的愛國詩人，在南宋極負聲望（辛棄疾的故事，前面講過），他一向是主戰派，而且和朱熹是好朋友，連這樣的忠貞之士都前來附和，韓侂胄更加精神抖擻，恨不得立刻揮兵。

由於這件事，歷史上有些人對辛棄疾不甚諒解，其實這是誤解了辛棄疾，他一腔熱血，滿腦子理想，見韓侂胄有意恢復中原，自然而然起了『君子成人之美』的好心。可惜，韓侂胄的出發只是爲了個人聲望，也沒有還我河山的雄才大略。

不過，這時也有很多人反對和金國開戰，他們的看法是宋金和平相處了很久，何必掀起戰事？加以宋軍並不強大，未必有獲勝的把握，當然，韓侂胄不喜歡別人澆冷水，所以那些主張不可用兵的人都被貶了官。

開禧三年，宋寧宗正式下詔北伐，戰事一開始，宋軍收復了泗州、光州等幾個城鎮，突然之間，發生了西蜀吳曦的叛變。

大家可還記得前面講過的吳玠、吳璘兄弟。吳璘在乾道三年去世，其子吳挺繼立，人稱『吳家軍』，在西蜀最得人心，吳挺去世以後，吳曦接管，聲勢更隆。韓侂胄和金人開戰，想要借重吳曦，便任命吳曦爲陝西河東招撫使。

戰爭剛開始，宋軍雖然打了幾次勝仗，不久便連遭敗績，吳曦又在此時叛變，投降金朝，急得韓侂胄一面宣佈捐出家財二十萬來助軍，一面秘密派人赴金營求和，幸而金人受到蒙古人的威脅，金軍統帥僕散揆又忽然病逝前方，所以金人就答應了宋朝談和的要求。

開禧三年八月，宋朝派了方信孺赴汴京談判，金朝的完顏宗浩大模大樣提出了五項要求：一、割兩淮之地。二、增加歲幣。三、以金帛犒勞金軍。四、交出歸降宋朝的金人。五、把首議用兵之臣縛送金營。這首議用兵之臣當然就是指韓侂冑。

方信孺一聽嚇了一跳，他搖搖手道：『釋放戰俘，贈送金幣，這些都好辦，只有縛送首議用兵之臣實有困難。』

宗浩很生氣道：『你不想活著回宋朝了？』

方信孺嚇得不敢再爭辯，趕緊回到宋朝覆命。

韓侂胄自從戰場連連失利，心中懊惱萬分，一心一意想要儘快求和，知道方信孺回來了，立刻召見。

方信孺一五一十回報韓侂胄，說到第五點，臉色一片綠，怎麼樣也說不下去。

韓侂胄氣急敗壞，一再追問：『快說！』

『這這這……金人要求縛送首議用兵之臣。』

韓侂胄一聽，熊熊怒火直衝腦門，先貶了方信孺的官，然後積極調兵遣將，準備再戰。金人要取得韓侂胄的命，韓侂胄當然很著急。可是他平常品德太壞，人人討厭，上上下下都覺得，假如把韓侂胄的腦袋割下，可以停止戰火，倒也是個不壞的主意。

其中禮部侍郎史彌遠的反應最快，馬上付諸行動，史彌遠與韓侂胄一樣，也不是個好東西，他朝思暮想就是希望除掉韓侂胄取而代之。史彌遠入宮稟見寧宗，力陳非殺韓侂胄不可的理由。

寧宗原來的皇后是韓侂胄的姪女，兩人有姻親關係，但是，韓皇后早死，寧宗又立了楊皇后，楊皇后與韓侂胄不合，正中下懷，在旁打邊鼓，寧宗便勉強同意。就在開禧三年十一月三日，韓侂胄入朝時，被中軍統制夏震刺殺在玉津園。

韓侂胄已死，金人要求得到韓侂胄的首級，朝廷爲了是否要把首級交給金人爭論不休，其中樞密章良能認爲『今日敵人要韓的首級，固然不足惜，明天敵人要你我的首級，是否也不足惜？』也有人以爲此舉有失國體，韓侂胄畢竟是宋朝的大臣。

最後禮部侍郎倪思站起來發言：『侂胄的臭頭顱，哪兒值得諸公爭來爭去？』臭頭顱就被送到金朝，金人先把頭顱擺在大街上，讓民眾參觀，然後，塗上油漆，當成戰利品，收藏在軍器庫裡，韓侂胄一生囂張，沒有料到會有此下場。

閱讀心得

【第530篇】

吳家軍的叛徒。

韓侂胄討伐金人失敗，原因之一是大戰剛剛展開，突然發生西蜀吳曦的叛變，使宋朝亂了陣腳。

吳曦是吳璘之孫，吳玠、吳璘兄弟世守西蜀，極得當地人心。自從孝宗以來，人們均說吳家聲勢太大，難以駕馭，西方但知有吳家軍，不知有朝廷。因此，在光宗紹熙四年，吳璘之子吳挺去世以後，朝廷就把吳挺之子吳曦調回中央，擔任殿前副都指揮使，以便就近看管。

吳曦自幼便等著掌管吳家軍，在西蜀稱霸稱王，不料被撤守軍權，鬱鬱不得志。而且吳曦心想，吳家自祖父、父親世世代代爲國藩屏，朝廷竟然還不信任他，這口氣實在嚥不下去。

於是，吳曦積極賄賂宰相陳自強等，希望朝廷能夠放他回去。其中樞密院事何澹還沒有收到孝敬的紅包，韓侂胄已經答應了，何澹再三反對縱虎歸山，韓侂胄很不開心道：『什麼都要你同意嗎？想當初你同意罷黜朱熹等僞學，現在怎麼樣了呢！』

吳家世守西蜀，蜀人早已習慣接受吳家軍的統治，而且崇拜吳氏的忠貞愛國。聽說吳曦要回到四川，一個個伸長了脖子盼歸期。

吳曦帶領大隊人馬，沿著嘉陵江回到蜀地，地方父老列隊歡迎，吳曦

目睹盛況，心裡得意極了。一連吃了幾天接風酒後，吳曦宣佈，要爲吳璘，也就是他的祖父蓋廟，有人不以爲然，因爲吳家軍一如岳家軍，向來不爲自身打算。但是吳璘畢竟對地方有大貢獻，況且這也是吳曦一片孝思，衆人還是歡天喜地精神抖擻把廟蓋好了。

爲了給吳璘蓋廟，已經花費十萬緡，廟落成之後，吳曦又有新點子，他要在山上建一座大花園，廣袤數里，每日差遣數千人搬石頭、運砂石，這時開始有鄉人抱怨了：『吳家可能出了個敗家子了，早知如此，他不要回家鄉還比較好。』

另外一方面，爲了重整形象，韓侂冑積極準備北伐，收復失土。開禧二年，他任命吳曦兼任陝西河東招撫使，吳曦掌握西方軍政大權。當金兵南下時，吳曦與其部屬陰謀叛變。韓侂胄不明就裡，日日夜夜催吳曦早日用兵。

金章宗聽説吳曦有投降的意圖，立刻密詔吳曦：『智者順時而動，明者因機而發，你認爲自己的功勞比岳飛如何？即使是岳飛，一旦被猜忌，還不是遭到悲慘的下場？以你的聰明智慧，一定能夠深識天命，洞見事機，讓我的軍隊安全東下，沒有西顧之憂，到時候全蜀之地，全歸你吳家所有，並且如康王構一般，加冊封。……天日在上，朕不食言。』

吳曦接了密詔，大爲驚喜，但是在正式叛變之前，他的內心仍然經過一番劇烈的掙扎，接連著好幾個月，他都神思昏擾，一陣陣的頭痛。

吳家軍是一門忠烈，他自小耳提面命接受的也是忠孝節義，他清清楚楚的知道，萬一人死而有靈，他的祖父、父親知道此事，非把他碎屍萬段不可。因此經常做惡夢，夜夜不得安寧，往往睡了一半，大叫一聲，揭被而起，起來之後，一身汗淋淋，再也睡不著，只能背著手，在臥室之中踱來踱去，直到天明。

假如有一天、兩天失眠還好，吳曦因爲良心不安，好幾個月來都是如此，他簡直苦不堪言，到了最後，有點兒想打退堂鼓，吳曦的堂弟吳晛在旁慫恿道：『這件事哪裡可以中止，即使中止，朝廷知道了，也饒不過你！』

於是，吳曦把心一橫，決定幹了！開禧二年冬天裡，金兵進入成州，吳曦退守青草原，金人再攻大散關，吳曦又退保興州。這時，金人決定信守承諾，冊立吳曦爲蜀王。

吳曦大喜過望，立刻召集幕府，宣佈脫離宋朝，自行獨立。他的部將們不料有此一變，均強烈抗議：『如此一來，相公你忠孝八十年門戶，一朝掃地矣，你要三思！』

吳曦滿臉不悅道：『你們不要說了，我早已決定了！』據說，某天夜晚，吳曦夜歸，笳鼓競奏，吳曦仰望蒼穹，忽然發現月亮中有一個人，和他一樣正騎著馬，垂著鞭子。吳曦驚奇的大叫道：『快看，月亮之中有個人像我呢！』

大家舉頭一看，果然月影朦朧，似乎是有這麼一個影像，又不忍掃吳曦的興，異口同聲說：『還眞像！』

吳曦說罷，一揚鞭，奇怪的是月中的人兒似乎也一揚鞭，吳曦大喜：

『月中人就是我，可見我當貴也！』吳曦自以爲當貴，但是地方父老可不以爲然，甚且吳家的親戚們也不贊同。自從吳曦置興州爲行宮，差人稟告伯母趙氏，接她共享富貴，趙氏聽説姪兒要脱離宋朝獨立，馬上與他絕交，避不相見。叔母劉氏則趕了來，劈頭大罵吳曦，而且白天晚上啼哭不停，吳曦好生尷尬。

吳曦拿家中長輩沒辦法，決定利用吳家軍的威望，邀請地方名士出來做官，他一廂情願認爲，看在祖父、父親的面子上，大家會幫他這個忙。結果西蜀的知名人物都不擁護他，譬如陳咸把頭髮剃光，史次泰自己刺瞎了眼睛，李道傳、鄧性甫逃到別地方去了，大家紛紛用行動杯葛了吳曦。

韓侂胄聽説吳曦叛變，急著趕快要給他封爵升官，結果，吳曦還沒接到韓侂胄的命令，已經被不滿的部將李好義等人刺殺。吳曦自叛變至死只有短短的四十一天。

吳曦誤以爲蜀人敬愛吳家軍，是因爲他們對吳氏有份特殊的感情，殊不知這份感情是奠基在愛國的基礎之上，因此吳曦要鬧獨立，地方鄉親馬上群起反對吳曦，這也是宋朝民族精神教育的成功，才使人們有正確的愛鄉愛國觀念。

閱讀心得

【第531篇】

全保長的故事。

宋史中有一件離奇的公案，那就是宋理宗繼位這件事的內幕：

宋寧宗趙擴沒有兒子，曾經撫養了一個宗室子趙詢爲皇太子。也許宋朝積弱，連皇族身體都不太健康，趙詢活到二十八歲就得病死了。幸而寧宗又收養了趙竑，準備繼承皇位，住在沂王府中。

在趙詢還沒有去世之前，史彌遠已經注意到這個問題，曾經拜託余天錫代爲留意。余天錫是史府的童子師，即是家庭老師。這位教師先生，爲人恭謹有禮，很得史彌遠的器重。

有一年秋天，余天錫要返鄉參加秋試，史彌遠鄭重相託：『你此番回去，注意一下宗室之子，看看有沒有賢良敦厚者，挑他一、兩人，做爲日後皇子的候選人，名義上，不妨說是沂王沒有後代，要爲他尋找一個繼承家業的人。』

余天錫回到浙江，剛剛過了西門，忽然雷電交作，大雨傾盆，他急急忙忙躲入全保長家中避雨。

保長是地方上小吏，見到丞相府中幕客大駕光臨，驚喜萬狀，連忙殺了一隻雞，搬出家中貯藏的老酒，保長妻子忙裡忙外，弄出一大桌子的菜，熱忱的款待嘉賓。

酒過三巡之後，余天錫忽然發現，桌子旁邊站著兩個小男生，長得端端正正，容貌俊偉，順口問道：『這兩個小孩是……』

『喔，我的外孫，大的叫趙與莒，小的叫趙與芮，算命的曾說兩個娃娃將來會大富大貴。』說著，全保長趕緊喚孫兒向余天錫請安。無巧不巧的，這兩個小男生恰爲趙家的宗室。

余天錫回到臨安，立刻飛報史彌遠，加油添醋的把全保長的外孫大大吹捧一番，史彌遠大樂，馬上召兩個孩子赴臨安府。

全保長接到消息，連忙咬咬手指頭，試試看痛不痛，是不是眞的。然後歡天喜地賣了田產，找來裁縫爲孫兒辦衣冠，不斷的走來走去興奮的自言自語：『我要走老運了，一陣喜雨，不料竟然請來一位貴人。』

親朋好友聽說此事，這眞是非同小可，一些平常不見面的叔叔、伯伯，剎那間全部擠到全家來，拉著小兄弟的手，說長道短，有的甚至長長一作揖，拜託他們日後多多關照。當然，餞行酒是少不了的，今天這個請，明天那個請，直把小小貴客吃得肚子都壞了。

趙氏兄弟上路當天，整個族裡熱鬧凡非，大夥兒都說，此去一登龍門，身價百倍，舉族爭光，全保長不停的打躬作揖道謝，笑得兩頰痠痛，即使過年也沒有這麼熱鬧。

兩個小孩都不到十歲，還弄不清大人爲什麼如此興高采烈，但是也跟著笑嘻嘻，覺得挺好玩的，精神抖擻的踏入相府。

史彌遠見到兩位小兄弟，眼睛一亮，馬上相中了，再隨便問了幾句話，發現小兄弟應對得體，教養極好，更加歡喜。他是一個做事仔細，老謀深算的人，忽的轉念一想，萬一被人發現，宰相找了兩個趙家宗室，偷偷撫養，後果不堪設想，於是，命令余天錫把他們倆再帶回家去。

全保長那兒，自從出了這件事以後，從早到晚有許多人來奉承他，搶著送他禮，如果不收下，來人就會發急道：『你我年誼世好，就如同親骨肉一般，若要如此，就是見外了。』一直要鬧到全保長勉強收下，方才千恩萬謝，低著頭，笑咪咪的離開。全保長心中也以爲，外孫此去，平地一聲，定有富貴。

誰知，過了沒兩天，余天錫一左一右牽著兩個小朋友回來了，全保長驚訝得說不出話來，過了半天才開口：『你們，你們就這麼樣回來了？』

族人們聽說小兄弟一去即返，又都圍攏到全家來看熱鬧，眼見『投資』失敗，請的客、送的禮都退不回來了，忍不住冷嘲熱諷，怎麼樣難聽的話都出口了。余天錫說了幾句道歉就告辭了，剩下全保長一人又羞、又愧、又窘，簡直恨不得鑽個地洞躲起來。

從此以後，全保長的日子可真痛苦，田產賣了，盤纏花了也就算了。最難過的是一走出大門，立刻有人指點批評，甚至被鄰人一口啐在臉上，罵個狗血噴頭。

兩個小朋友的日子也不好捱，經常有叔叔伯伯揶揄道：『你們不是被請到京城去嗎？京城裡好不好玩？怎麼這麼快就回來了？』小朋友不曉得該怎麼辦，只好奔回家，全保長一氣之下，乾脆把大門關上，足不出戶，一家人過著隱士一般的生活。

過了一段日子，史彌遠見局勢有了變化，他對余天錫說：『現在可以把趙家兄弟接來了。』

余天錫差人送了信給全保長，全保長鑑於上一回的悲慘經驗，說什麼也不願意再出一次醜，客客氣氣覆了一封信，表示敬謝不敏，心領了。史彌遠又派余天錫登門造訪，余天錫正色告訴全保長：『你的兩個外孫，長孫最貴，你不應該留置家中，要送到他的父族中撫養。』

既然如此，全保長怎敢違抗，又趕緊把孫子穿戴打扮起來，讓余天錫帶走了，只不知是否過了幾天又回家了，還是此去是吉是凶，全保長只有祈禱了。

閱讀心得

【第532篇】美麗的女間諜。

話說史彌遠把全保長的外孫趙與莒帶到臨安，改名爲趙貴誠，住在沂王府之中。

沂王府中本來已經有位皇嗣，就是趙竑。嘉定十五年，寧宗封趙竑爲濟國公，雖然沒有正式立爲太子，但是天下都知道，趙竑就是未來皇位的繼承人。

此時，史彌遠已當了十五年的宰相，他與楊皇后緊密勾結，寧宗事實上只是一個傀儡皇帝，年輕的趙竑看在眼中，氣憤極了。

楊皇后被選爲皇后，其中有一段故事：

楊皇后小時候家裡很窮，十歲的時候被父親用兩千銀子賣給雜劇團當團員，後來被選入慈福宮，伺候太后娘娘。楊小妹妹生得異常清麗，才十多歲就是個小美人的模樣兒，太后娘娘打心裡喜歡這個小女孩，走到哪兒便帶到哪兒，而且常常誇說：『你們看，她長得多俊啊！』

楊小妹妹被太后娘娘這麼一捧，也就恃寵而驕，漸漸有蠻橫的舉動出現，旁人也不敢指責。

有一回，太后娘娘出浴，楊小妹妹愛漂亮，就把太后的皇冠戴在頭上，又把后衣披在身上，在鏡子前面搔首弄姿，扮起當皇后的遊戲，除了衣服

尺碼太大以外，小美人換上了光彩奪目的皇后衣冠，還眞是漂亮非凡，宛若仙子。

太后浴罷，馬上有人打小報告，滿以爲這下子楊小妹妹可慘了，不料太后娘娘抿嘴一笑：『你們別吃驚，她啊，將來會爬到我這個地位的！』果然，漂亮寶貝的青春美麗馬上吸引了寧宗，自從太后收了這個雜劇女孩以後，寧宗早晚問安來得相當勤快，每次一來，眼睛就滴滴溜溜跟著小美人兒打轉，太后善解人意，便賜給了寧宗。後來，韓皇后過世，小美人就當了皇后。

由於楊皇后出身寒微，生怕別人看她不起，因此處處耍權威，與史彌遠兩人狼狽爲奸，趙竑最氣楊皇后，把她看成狐狸精。

但是，趙竑自己，馬上也跌入了美色的陷阱：史彌遠早已看出，趙竑對他不怎麼友善，他很擔心寧宗過世之後，趙竑不會百依百順，就安排了心腹潛入趙竑身旁。

趙竑是個音樂小神童，擅長鼓琴，史彌遠多方尋求，找到一位也會彈琴的青春玉女，悄悄的送到趙竑身旁。

這位玉女長得粉粉嫩嫩，白裡透紅，嵌上一對漆黑的亮眼睛，她完全不必化妝，就是天生的嬌豔，而且知書達禮，尤其半歪著頭彈古琴時，既專注又純潔，簡直把趙竑迷得神魂顛倒。當然，趙竑絕對不會想到，這位有音樂素養的知音會是史彌遠派來的奸細！

皇室的生活本來是極其單調無聊，趙竑自小缺乏玩伴，內心相當寂寞，如今來了一個青梅竹馬，內心相當興奮，他把自己所有的心事都向『知音』傾吐。

譬如說，他會拉著她的手，帶她去看一本秘密小冊子，翻開一看，裡面一條條記載史彌遠與楊皇后的罪狀，小女朋友便問道：『那你以後怎麼對付他們呢？』

『我啊，我要把史彌遠發配到八千里外去！』趙竑說著，不但聲調提高，臉蛋也興奮發紅。他爲了表現英雄氣概，又指著牆上的地圖說：『你看到沒有，這兒有個地方叫瓊州（海南島），以後，史彌遠就在這兒了。』

趙竑做夢也沒有料到，他新交的紅粉知己一五一十全告訴了史彌遠，史彌遠又恨又怕。

過了幾天，趙竑又有了新點子了，他開始喚史彌遠爲『新恩』，小美人兒問他：『什麼是新恩？』

『新恩就是新州和恩州，以後史彌遠被發配的話，不去新州，就去恩州，反正就是這兩個最荒涼、最僻遠的不毛之地。』趙竑還在得意，史彌遠卻彷彿聽到了錄音。

起初，史彌遠還以爲趙竑只是嘴巴上說得狠，不會玩眞的。可是，七月七日那天，史彌遠笑盈盈獻上奇巧的玩具，趙竑竟然接過來就摔在地上，當場扔個粉碎，許多大臣都看在眼中，史彌遠老臉掛不住，決心非除掉趙竑不可。

當時，趙竑的老師理學家眞德秀看出有點兒不對勁，他曾經勸過趙竑：

『皇子若能夠孝順慈母，禮敬大臣，則天命歸之，否則深可憂慮也。』這個話，趙竑是無論如何也聽不進去的，在他看來，楊皇后卑鄙，史彌遠無恥，這兩個人不值得尊敬，而他自幼一帆風順，養尊處優，很自然的，也從來沒有防人之心，只等著將來當上皇上，為國家除去奸惡！

史彌遠準備動用他長期培養的暗棋——全保長的外孫趙貴誠了，有一天，他在淨慈寺追念亡父，有國子監鄭清之前來拜禱，史彌遠努努嘴，示意鄭清之跟著他來到慧日閣，看看四下無人，史彌遠壓低了聲音道：『皇子趙竑不成器，我聽說沂王府中趙貴誠甚賢，我打算請你當趙貴誠的老師，你要善加訓誨，將來眞有那麼一天，事成之後，彌遠今天這個相位就是你的了。今天這個話，出於我口，入於君之耳，如果不慎外洩，你我都有滅門之殃，你知道嗎？』

『是！』鄭清之一躬鞠到底：『敢不遵丞相之命！』

閱讀心得

【第533篇】

史彌遠假傳聖旨。

話說史彌遠發現，趙竑立誓，將來即位以後，要把他發配八千里之後，大爲憂懼不安，秘密央託國子學錄鄭清之，要他好好教導趙貴誠（也就是全保長的外孫趙與莒），並暗中觀察趙貴誠的爲人。

過了一段時日，史彌遠悄悄拉著鄭清之問話：『我聽說皇姪（指趙貴誠）十分賢德，依你看，到底怎麼樣？』

『此人之賢，一言難盡，我只能夠用兩個字來形容，那就是不凡。』

鄭清之面有得色的回答。

從此以後，史彌遠只要逮著機會，就在寧宗前面說皇子趙竑的壞話，並且讚美趙貴誠足以擔當大任。由於趙竑與趙貴誠都不是寧宗的親生兒子，平常沒有多接觸，史彌遠也舉不出什麼具體的例子，這件事也就拖下來了。

趙竑的老師理學大家眞德秀老早嗅到不尋常的氣息，也曾經警告趙竑少發牢騷，趙竑自認爲是馬上要當天子的人了，不曉得爲什麼要東怕西怕，何況他多半是向身邊的小美人吐露心願，他怎會料到彈得一手好琴，陪他一塊欣賞音樂的知音是史彌遠派來的奸細。

這一會兒，事態更嚴重了。眞德秀又再度提醒趙竑要小心，不要老是

埋怨楊皇后與史彌遠，但是，眞德秀又不能把話說得太明顯，只能夠隱約的暗示，趙竑依舊不聽，眞德秀害怕被捲入漩渦，請辭而去。

嘉定十七年八月，寧宗病重。史彌遠派了鄭清之到沂王府，告訴趙貴誠準備立他爲皇帝的事，趙貴誠未置可否，既不答應，也不拒絕。事實上，趙貴誠的確很難回答，他是身不由己。

鄭清之等了半天，十分不耐煩道：『丞相與清之交情很深，所以派我來問話，你不答一語，清之如何回報丞相？』

趙貴誠一拱手，慢吞吞的說：『紹興老母在。』他的意思，萬一丞相有所行動，請先把家鄉老母安頓好，免得老人家受池魚之殃，言下之意是答應了，卻不明白表示願奪帝位。

鄭清之把趙貴誠的答覆轉告史彌遠，史彌遠聽了便笑起來：『貴誠果然不凡。』然後，立刻把趙貴誠的母親全氏接到臨安，讓趙貴誠安心。

接著，史彌遠趁著寧宗昏迷之際，假傳詔命，以趙貴誠爲皇子，改名爲趙昀，授武泰軍節度使，封成國公。《東南紀聞》這本書中記載，史彌遠曾進金丹百顆，寧宗服下不久，一命歸天，眞相如何不可考。總之，很快的，寧宗駕崩，整個皇宮上上下下忙著辦喪事了。

史彌遠差遣楊皇后的內姪楊谷石，向她報告改立趙貴誠之事。楊皇后正哭得淚人兒似的，她雖然平時與史彌遠一條心，畢竟是個婦道人家，膽子比較小，所以事到臨頭，又打退堂鼓：『不行，不行，皇子趙竑是先皇帝（寧宗）所立，怎麼能夠改變？』

楊谷石不知道拿哭哭啼啼的姑媽怎麼辦，匆匆忙忙回報史彌遠，卻挨了一頓臭罵，又轉回內宮央求楊皇后，如此這般一個晚上，楊谷石竟然跑了七、八回。最後他跪在地上，泣不成聲說：『如今內外軍民都已歸心皇子成國公趙昀，如果皇后堅決不答應，我們楊氏恐怕無噍類矣。』（噍類是活口，指有生命而能嚼食的人。）

楊皇后一天之中，遭遇了許多大事，先是皇帝駕崩，接著楊谷石又來磨了一個晚上，她早已頭昏腦脹眼睛酸澀，實在睏極了，迷迷糊糊問：『趙昀在哪裡？』

『趙昀立刻就來！』楊谷石大喜過望。

史彌遠馬上派使者宣召皇子進宮，並且鄭重其事警告他說：『宣召的皇子是沂王府中的皇子，不是已經搬到萬歲巷的皇子，如果宣錯了，你的腦袋就搬家了！』

再回過頭說趙竑，自從聽說寧宗駕崩，他穿戴整齊，等著宣召入宮，心中盤算著，這下子史彌遠可慘了，不把他發配到新州，也要把他趕到恩州去，然後才能放手大展鴻圖。

一個時辰、一個時辰過去了，趙竑等了又等，盼了又盼，還是不見宣召，他急得如熱鍋上的螞蟻，在房間裡背著手走來走去。最後，爬到小閣樓，推開窗戶，注意著萬歲巷的動靜，黑闃闃的，連半個鬼影都不見。

忽然之間，一群宮中使者飛奔而來，趙竑心想終於來了，正要下樓閣，赫然發現使者們竟然過門而不入，這是怎麼一回事？趙竑正在納悶兒，忽的看到使者們正簇擁著一人，飛奔而去，他揉揉眼睛，想看清楚一點，由於天還未亮，也沒法看仔細，他做夢也沒有想到，當年與他住在沂王府一塊玩耍的趙貴誠，竟然改名爲趙昀，馬上要當皇帝。

趙昀到了宮中，參拜楊皇后，皇后拍拍趙昀的肩膀說：『從現在起，你是我兒子了。』然後，史彌遠引導趙昀到靈柩前，舉哀完畢以後，這才宣召趙竑，接著便是召百官之班，聽候宣讀遺詔。

夏震告訴趙竑，要他仍站在過去的老位子，趙竑十分詫異，他心裡想，奇怪，我不是該當皇帝了嗎？於是惱怒的責問：『我今天豈能仍立班中？』

夏震沒好氣的回答：『在沒有宣讀遺詔前，殿下仍爲皇子，焉能不立在班中？』趙竑只得隨班站立。但見遠遠的御座中竟然有人端然正坐，只聽得宣詔人高聲唱名：『皇子成國公趙昀爲皇帝。』百官羅列下拜祝賀新君：『萬歲！』

趙竑大吃一驚，怎麼也不肯下拜，卻被夏震用力按著頭摔在地下，屈膝而拜，眼淚也隨著滾滾而出。

閱讀心得

【第534篇】眞德秀爲學生伸冤。

趙昀即位，是爲宋理宗，這一個原先寄養在外公全保長家中的窮孩子，在史彌遠的安排下，竟然做了宋朝的皇帝，實在也是一件奇特的事。

理宗即位之後，改次年爲寶慶元年，尊奉楊皇后爲皇太后，垂簾聽政，趙竑改封濟王，出居湖州（浙江省吳興縣）。

趙竑糊裡糊塗丟了皇位，滿懷委屈到了湖州不久，就有湖州人潘壬、潘甫、潘丙三兄弟集合私鹽販子，與坐鎮楚州（江蘇省淮安縣）的大將李全勾結，準備共擁趙竑爲帝，發兵起事。

趙竑沒有做到皇帝，心裡頭很委屈，既然沒法子挽回，也就認命了，安心當他的濟王。

如今這幫盜賊，要利用他爲幌子，可眞把趙竑嚇破了膽子，聞說潘氏兄弟等要來，情急之下，趙竑躲到水洞裡。可惜運氣不佳，被潘壬找到撈了起來，硬是拿了一件黃袍要趙竑穿上。

趙竑不肯，潘氏兄弟很生氣，粗暴的問他：『奇怪，你的皇位被史彌遠搶走了，我們兄弟幫你要回來，你爲什麼還拖拖拉拉，像個女人一樣！』

這一逼之下，趙竑哭了起來，他知道眼前非乖乖就範不可，嘆了一口氣道：『我答應你們，但是你們也要答應我，不許傷害太后、官家。』官

家指的是趙昀，趙昀雖然奪了他的帝位，天性善良的趙竑並不記恨，因爲他知道一切都是史彌遠一手導演的，怨不得趙昀。

盜賊答應了趙竑的要求，接著，潘壬等人逼著趙竑穿了黃袍，正位天子，並且立出榜示，公開史彌遠廢立之罪，並揚言：『今領兵二十萬，水陸並進。』準備攻打京師臨安。

李全表面答應潘氏兄弟，其實並未出兵，趙竑早知道這批烏合之衆起事，絕對不會成功，爲求自保，他悄悄派了一個專使王元春，飛報臨安朝廷，報告自己被脅迫一事，並且率領湖州州兵聲討潘氏。

當史彌遠聽說潘氏兄弟擁立趙竑，大爲吃驚，雖然湖州之變馬上敉平，趙竑也用行動表現出忠於朝廷。史彌遠老謀深算，總是不放心，他心想，有了這回，必然有下回，趙竑即使沒有奪回帝位的打算，萬一被強有力者挾持也身不由己，總而言之，留著趙竑是禍根。

因此，史彌遠又假傳聖旨，命余天錫赴湖州，逼迫趙竑自縊，可憐的趙竑就這樣不甘心的送命了，對外則說是暴斃而卒，爲了這齣戲，余天錫還帶了一個御醫出面說明，然而明眼人一看便知，又是老奸賊史彌遠玩的把戲。

史彌遠假傳聖旨，將皇位繼承人由趙竑改爲趙昀，已引起天下人之不滿，這一會兒，他又設計把趙竑除掉，更引起普天共憤，尤其是強調道德修養的理學家們反應最爲激烈。

理學大家眞德秀原是趙竑的老師，他早看出端倪，也曾提醒趙竑小心，無奈不聽，爲了怕捲入是非，他不得不請辭而別，內心相當捨不得這個愛徒。現在聽說趙竑如此委曲求全，而且死得不明不白，心中大爲憤慨，眼前浮現的全是當時師徒形影不離的景象，眞德秀悲從中來，陣陣鼻酸，也顧不得明哲保身了，他心想，我這個做老師的，在學生生前，不能保護他，至少在學生死後，要爲愛徒討回公道。

於是，眞德秀聯合了魏了翁等人，強烈的指責史彌遠，其中鄧若水的一封上疏，更是把史彌遠罵慘了，他要求宋理宗『掃除妖氛，以雪先帝』，這妖當然指的是史彌遠了，史彌遠看了上疏，冷笑一聲，立刻揉成一團，丟到字紙簍去，宋理宗趙昀根本沒看到，就是看到了，史彌遠也不怕。只是對理學家更是不滿。

自從史彌遠殺了韓侂胄之後，便積極表揚道學，收攬人心，褒獎死去的理學家朱熹、呂祖謙等人。史彌遠本身是個卑鄙小人，因此他雖然不斷向理學家拉攏，理學家始終對他沒有好感，眞德秀便曾經說過：『我們趕快離他遠一點兒，讓廟堂知道，這個世界還有不爲官位收買的人！』這件事，頗讓史彌遠面子上不好看。

如今事情演變到眞德秀爲學生喊冤，公然指責史彌遠，史彌遠不能不反擊，卻想不出什麼法子。

有個叫梁成大的小人知道了史彌遠的心思，想了一個好主意，他跑到茶館，叫了一壺茶，開始大罵眞德秀與魏了翁，他很會講俏皮話，大言不慚道：『眞德秀不過是個眞小人，魏了翁就是僞君子！』

史彌遠聽到了，覺得梁成大是個奇才，馬上請梁成大赴都察院任官，希望能把眞小人、僞君子給打響。

然而眞德秀、魏了翁的道德和文章都首屈一指，豈是史彌遠所能破壞得了，倒是梁成大這個狗腿子，被人也改了一個名，叫梁成犬。

宋理宗對史彌遠的做法，內心並不欣賞，但是史彌遠勢力雄厚，他自己又是史一手安排當上皇帝的，也只好讓史彌遠當了九年的宰相，直到史彌遠死後，理宗才正式提倡理學，召眞德秀爲禮部侍郎。

眞德秀又向理宗說：『湖州之事，非濟王本意，濟王先是逃避，後又追捕潘氏，希望陛下追封濟王。』

於是，濟王所受冤屈大白天下，眞德秀的作爲，說明了中國古代師徒的情義深厚。

閱讀心得

【第535篇】

史嵩之守喪丟官。

宋史中稱宋理宗誤於二史之禍，前有史彌遠弄權，史彌遠去世後，宋理宗親政，又有史嵩之誤國。

史嵩之是史彌遠的姪兒，在紹定五年，擔任京湖安撫制置使，坐鎮襄陽，處理軍務，會合蒙古，滅亡了金朝，論功行賞，做到了兵部尚書，後來更高升爲右丞相兼樞密使，軍事政治一把抓。

史嵩之自認有軍功，趾高氣昂，狂妄自大，完全不合乎宋朝人講究的謙遜有禮，朝中的正人君子與他都合不來，杜範、游侶等一個一個被趕出了朝廷。

如此這般，過了五年，才有一個禮部進士徐霖受不了，上疏揭發史嵩之『挾持邊功，要脅國君，培植私黨，危害國家。』看到上疏的人，都不禁嚇得吐舌頭，爲徐霖捏把汗。結果，宋理宗寵信史嵩之，對徐霖的告狀置之不理，徐霖的下場也就不問可知了。

過了不久，史嵩之因爲父親史彌忠去世，請假守喪，宋理宗下詔起復，掀起了一場巨大波浪。

中國古人一向注重守喪之禮，在論語陽貨篇中，孔子的學生宰我曾經問孔子：『守喪守一年其實就很夠了，君子三年不習禮，禮必然荒廢了，

三年不習樂，樂也必然荒廢了，一年之中，舊的稻穀已經吃完了，新的稻子也收割了，守喪守了一年也夠了。』

孔老夫子很生氣，諷刺宰我：『父母死了，未滿三年，你就吃稻煮的飯，穿絲織的衣，你心裡安嗎？』

『安啊，爲什麼不安？』宰我想也不想就脫口而出。

『你既然心安，那你就這麼辦吧，一個君子守父母之喪，因爲過於悲苦，即使吃山珍海味也沒有胃口，聽美好的音樂也不快樂，因此不求衣食享受，現在你既然食稻衣錦都開心，那你不妨去食稻衣錦吧！』孔子氣憤的訓了宰我一頓，宰我低著頭離開了。

宰我剛走，孔夫子便對弟子們說：『宰我這個小子眞是不仁，想爲人子女生下來三年以後，才能脫離父母的懷抱，守三年之喪，是天下的通喪，宰我曾經報答父母三年的恩愛嗎？』

讀過論語的人都知道，孔門弟子中，孔夫子最疼愛顏淵，最不欣賞宰我，宰我就是那個中午睏了睡午覺，孔夫子罵他是『朽木不可雕也，糞土之牆不可圬也』的寶貝蛋。

宋朝人是最講究禮教的人，宋史之中記載孝子守喪盡哀的故事相當多，假如有誰因爲父母過世，傷心到達了極點，竟然也一病嗚呼，更會得到鄉里之敬重。

所謂起復，指的是官吏父母去世，不等喪期服滿朝廷就再度起用。在宋朝，這種情況是很少的。通常，做官的如果父母病故，一定要請喪假三年，三年以後才能回到朝廷，當然，守喪期間，該官員原來職務早有人代替，多半又要從頭來起慢慢往上熬。因此，古代官吏十分害怕父母過世，萬一父母相繼過世，一連六年的喪假下來，政治前途也就完了，有人打趣，難怪中國古代的人，不敢不孝順父母。

言歸正傳，史嵩之擔心奔喪回家之後，朝廷大權旁落，因此，預先部署妥當，使得宋理宗在史嵩之熱喪在身之時，就急急忙忙的下詔起復，仍爲右丞相兼樞密使。朝廷滿朝文武雖不以爲然，也不敢吭聲。一般理學家認爲此事大違禮法，而太學生更是慷慨激昂。

太學生黃伯愷等一百四十四人，聯名上疏：『自古求忠臣必於孝子之門，未有不孝者而望其忠也……今天國家土壤一天比一天少，嵩之田宅一天比一天多，而陛下仍然眷留嵩之也……臣等如果不言，則人倫掃地，與嵩之一般淪爲夷狄也。』

這篇奏疏用詞十分強烈，雖然斥責史嵩之，也狠狠罵了皇帝，宋理宗看了心中當然不痛快。接著翁日善等六十七人，劉時舉等九十四人又聯名上書，這些上疏一篇較一篇更沉痛更激切。

甚且，連太學的齋廊上都貼上大標語，上面寫著『丞相朝入，諸生夕出，諸生夕出，丞相朝入！』公然反對史嵩之，顯然要鬧學潮似的。

當時，朝廷命令京兆尹把他們開除學籍，太學生一聽之下，鬧得更兇，居然在捲鋪蓋走路之前，合作了一篇捲堂文，拜謝孔聖先師畫像之後離開了太學。

宋理宗頗爲不悅道：『學校雖是正論，未免鬧得太過分些。』

徐元吉說：『正論是國家元氣，今天正論仍在學校，當留下生機。』

這個時候，史嵩之也知道自己待不下去了，宋理宗同樣感受到輿論龐大的壓力，只得准了史嵩之三年之喪。

說也奇怪，史嵩之剛剛回到鄉里，徐元吉忽然得了怪病，全身燥熱，到了晚上，指甲一個一個裂開，淌出鮮血，醫生還沒來，徐元吉就死了。劉漢弼也得了怪病，全身浮腫而卒。杜範繼史嵩之爲相，不到八十天，得了重病撒手歸西。這一連串的暴卒，一般人都認爲是史嵩之派人下毒，太學生又相繼上疏，指責『過去小人害君子，不過使之死於蠻煙瘴雨之鄉，現在反在朝廷公然行兇。』宋理宗只得將徐元吉、劉漢弼、杜範厚葬，並賜給良田。

後來，史嵩之喪期滿了，理宗本想再度重用，一般言官紛紛抗議，史嵩之終究沒法再回到朝廷。三年喪期在現代社會當然不可能，但是今日孝道淪喪恐怕也是缺乏有心人的提倡。

閱讀心得

【第536篇】丁大全用事。

在史嵩之以後，宋理宗任用丁大全。此時理宗已在位三十多年，精疲力竭，對政事日漸厭煩，每天留戀在新起的梅堂、芙蓉閣、香蘭亭之中，招來一些民間的倡優入宮獻藝，以聲色自娛。

丁大全，鎭江人，出身微賤，他因爲巴結宦官，得到理宗的寵信，官拜右司諫，當時連丁大全在一起的三個言官，都只曉得拍馬阿諛，從不知對君主忠諫，人們稱他們爲『三不吠犬』。比喻朝廷用了三條不會叫的看門狗。

丁大全不敢對皇帝忠諫，咬起同事的功夫倒不小，他與右丞相董槐不合，兩人相互狗咬狗。

寶祐四年，董槐上了一個奏章，批評丁大全奸佞不可用。丁大全知道此事，一面反攻，上疏彈劾董槐，一面竟然半夜裡親自率領兵丁，圍住董槐的府第，露出白刃，硬是把董槐架著，出了北關，丟在荒郊野外。

奇怪的是，理宗接著頒下聖旨，不但不責怪丁大全，反而把董槐的相職給免了。一向對國事有意見的太學生聯名上書攻擊丁大全，爲董槐鳴冤。

丁大全很生氣，開除太學生的學籍，把太學生發配到偏遠之地，並且嚴戒諸生不准再隨隨便便議論國事。

就在丁大全弄權用事的時候，蒙古兵分道南下，國事日非，引起朝野一致的憤慨，宋理宗不得不將丁大全免職，丁大全被放逐新州，死於道上。

其實，丁大全的被貶，不完全是理宗的明斷，主要是背後有一個高手在秘密操縱，那人便是賈似道。

賈似道是促成南宋亡國的一大罪人，是中國歷史上著名的大奸臣，與秦檜不相上下。

賈似道是賈涉的兒子，自幼便是一個紈袴子弟，放蕩無行，不務正業。長大以後，由於父蔭補了嘉興司倉。後來，賈似道的姊姊入宮，成爲理宗寵愛的賈貴妃，靠著賈貴妃的裙帶關係，賈似道當上了籍田令，又一再爬高到太常丞、軍器監。

雖然軍器監位高權重，賈似道仍然不改以往的作風，白天泡在瓦子裡，瓦是杭州特有的一種稱呼，就是妓女戶。杭州城裡城外，瓦舍共有十七處之多，久而久之，瓦舍便如同長安的平康坊，勾欄曲巷，是浮蕩子弟流連忘返之地。

到了晚上，賈似道往往吆喝一群鶯鶯燕燕，帶著精緻餚饌，瓜果糖食，陳年老酒前往西湖，到了埠頭，自有相熟的船老大前來招呼，上得畫舫。

然後，船老大把畫舫緩緩駛向湖中心，在船頭立了一枝竹篙，直挿入湖底，船隻穩穩的停住，賈似道遂開始猜拳行令，飲酒作樂，肆意享受。

有一天夜晚，宋理宗在一小山邊眺望西湖，忽見湖中燈火輝煌，然後模模糊糊見到幾位歌伎抱著琵琶，擫著笛子，司著鼓板，細吹細打了一套

『醉花陰』，然後在夜闌人靜的夜裡，只聽得穿雲裂帛的歌聲朗然傳來。

宋理宗眉心一皺道：『此必賈似道也。』顯然，賈似道浪蕩的名聲已傳入皇帝的耳朵裡了。

第二天，宋理宗把賈似道喊來問話，他坦然承認，理宗對賈似道吊兒郎當的輕浮作風大不以爲然，因此特地告訴京兆尹史巖之：『你要好好教訓一下賈似道，不要三更半夜還在西湖鬧，簡直不像樣。』

史巖之卻答道：『似道這個人，雖然有少年習氣，然而才氣縱橫，可擔當大任。』

『喔？是這樣嗎？』理宗問。

自此以後，理宗果然對賈似道另眼相看。尤其是開慶十年，出了一件大事：蒙古兵圍鄂州，朝廷任命賈似道爲右丞相兼樞密使，賈似道暗地裡與忽必烈講和，剛巧，蒙古發生內變，忽必烈乃接受賈似道的建議，匆匆忙忙引兵北歸。如此一來，鄂州之圍解除。賈似道謊報一路大捷，打垮蒙古人。

宋理宗接到捷報，簡直樂壞了，立刻詔令賈似道還朝，讓他當宰相。

賈似道雖然生活浪漫，完全一派公子哥兒的習氣，卻極富機智與權術，善於拉攏人心。宋朝的太學生與理學家素來最有意見，賈似道上任之後，第一件事就是對於太學生加以種種優厚的待遇，增撥學田，提高生活費用。又特別尊崇道學，養了一大批冬烘先生。

俗語說，拿人的手短，太學生與理學家得了賈似道的好處，於是一般士子，對於賈似道都刻意歌頌。稱之爲『師相』或直稱爲『元老』。他這一招比丁大全漂亮多了。

接著，在景定四年，賈似道又建議置買公田。原來在南宋時，發生貧富不均，富豪兼併土地問題，一般百姓苦不堪言，『三人共一椀燈，八口共半間屋』生活極其悲慘，賈似道的辦法是先實行『限田』，規定做官的人家，其田地有一定的限額，超過限額的土地，由國家收買其三分之一爲公田，可以彌補國家財政上的赤字。

表面上看來，這是一個好辦法，演變到後來卻成爲強奪民田，並且將官田再發給百姓耕種，更要逼百姓繳出超額的田租，老百姓個個不堪其苦。同時，南宋又實施推排制度，所謂推排制度是每三年做一次財產調查，不但老百姓的房屋在調查之列，就是家裡有幾把刀、幾把斧，乃至一隻豬、十隻雞、兩條狗也一一查明，官吏就根據這些敲竹槓，百姓眞是『雞犬不寧啊。

閱讀心得

【第537篇】宋朝的『周公』賈似道。

宋理宗年紀漸漸大了，他也與宋寧宗一般老而無子，於是他想立弟弟趙與芮之子趙禥爲嗣，先是封爲忠王，後立爲太子。

當宋理宗準備立忠王爲嗣時，曾經徵詢宰相吳潛的意見，吳潛是一個忠心耿耿的老臣，他認爲忠王呆呆笨笨，膽小畏事，不是一個能夠當天子的材料，因此表示異議道：『臣無彌遠之才，忠王無陛下之福！』

大家還記得嗎？宋理宗原是鄉下全保長的一個小外孫，被史彌遠一手拉拔，又使出一連串的詭計，去除趙竑才當上皇帝。吳潛這麼一頂，等於在揭宋理宗的瘡疤，理宗好生氣，別過臉來不理吳潛。

狡猾的賈似道乘機下毒：『吳潛身爲宰相，竟不以國事爲念，可見是個不負責任的人。』並且再三表示，皇帝無子，立宗室爲後，本是一件順理成章的事。

宋理宗正在不開心吳潛，被賈似道這麼一挑撥，更覺得吳潛討人厭，於是罷除吳潛的相位，賈似道成爲唯一的一位宰相（宋朝爲防止專權，採用多相制），立忠王爲太子。

景定五年，理宗去世，忠王即位，是爲宋度宗，度宗即位時，年已四

十三歲，是個沉溺於酒色中的糊塗蛋。

據說，宋度宗的母親在懷他的時候，服了不當服用的藥物，以至於度宗生下來後，手腳發軟，反應遲鈍，一直長到七歲才牙牙學語。

度宗自己知道，如果不是賈似道幫忙，他這個皇帝可能泡湯，再加上他本身才能不足，處處都要仰賴賈似道，因此簡直把他給捧上了天。

每逢賈似道上朝，度宗必然親自答禮，尊一聲『師臣』。居然不敢對賈似道直呼其名，因此朝中大臣都稱之爲『周公』，把賈似道比喻爲古代孔子最尊敬的周公，實在是一件可笑的事。

賈似道看準了度宗庸庸碌碌，很好欺負，所以處處裝腔作態，表現自個兒的身價不凡。

咸淳元年，當賈似道料理完畢宋理宗的喪事，他忽然抽身引退，遞上辭呈，表示任務已了，從此要歸還故里，回到越州（今浙江紹興）老家去也。

賈似道眞的是看破紅塵，要效法陶淵明高唱『歸去來兮』嗎？當然不是的，他料定了度宗少不了他。爲了安全起見，賈似道又秘密支使檢校少傅呂文德寫了一封假報告，說是蒙古入侵。

度宗看到賈似道的辭呈已經心裡撲通撲通的跳個不停，再接到呂文德的密報，一顆顆汗珠涔涔流下，嚇得一聲『媽呀！』急著去後宮找太后，而太后一聽也馬上頭暈，趕快用手扶住椅子，母子二人慌慌張張找來大臣，擬妥詔命要求賈似道回朝。

賈似道見計已得逞，心中暗暗冷笑，表面上卻裝出一臉無可奈何的樣子，兩手一攤，姍姍復出。

度宗爲了籠絡賈似道，授他爲鎮東軍節度使，拜爲太師，封魏國公。在以前，蔡京、韓侂胄、史彌遠都曾被『尊』爲太師，都是以宰相而專有政權，這會兒，賈似道也是賈太師了，他十分得意。不過，依照習慣，太師往往可兼領節度使，於是度宗便任命賈似道爲鎮東軍節度使，但賈似道卻佯作怒曰：『節度使是粗人做的，我不接受。』這時，節度使的『節』（代表節度使的信物）已送來了，京城裡人人圍觀，賈似道卻要把節退回，表示自己『生氣』了，這是從來沒有過的事，弄得大家驚駭萬分。

第二年，因爲小事不如意，賈似道又要鬧著遞辭呈，度宗不答應，賈似道卻非辭不可，完全沒有轉圜餘地。

度宗不曉得該如何慰留，情急之下，幾乎雙膝著地，要跪下來求賈似道了，知樞密院事江萬里眼見賈似道再三戲耍國君，實在是忍無可忍，看不下去了，他著急的扶起度宗道：『自古以來，沒有君王向臣子下拜之理。』說著，江萬里又轉過身來，半帶責備的對賈似道說：『聖上既如此，丞相萬萬不可再言去。』

賈似道立刻惶恐無比舉笏向江萬里道謝：『倘若不是江公阻止聖上，似道今天就要成爲千古罪人了。』

嘴巴上雖說得好聽，賈似道心裡恨透了江萬里多管閒事，從此之後，賈似道利用職權，對江萬里百般挑剔，到處找麻煩，江萬里待不下去，只有辭職歸故里。

到了第三年，賈似道一年一度的老毛病又犯了。這一次說什麼也不願再幹下去，講得斬釘截鐵，一絲一毫都不能通融。

可憐的度宗又開始緊張了，他不停的降旨挽留，一天之中下詔四、五回，並且派出宦官守在賈府門外，免得他開溜。

既然賈似道執意要走，宋度宗又非留不可，最後，雙方各讓一步，度宗賜賈似道『平章軍國重事』的美名頭銜，更賜以豪華宅第於西湖葛嶺，讓賈似道高臥於葛嶺的風景區之中，每五日乘湖船入朝一回。

葛嶺位於西湖中心，湖光掩映，芳草如茵，兩岸風光，盡入眼底，完全無塵俗之囂，附近又有吳越錢武肅王所築的九曲城舊址，是尋幽訪勝踏青的好去處，賈似道在這『上有天堂，下有蘇杭』的杭州最美之處，可眞是快活勝神仙，宰相如此，宋朝的國運也到了盡頭了。

閱讀心得

【第538篇】

半閒堂與多寶閣。

自從賈似道高臥葛嶺以後，每五日始出葛嶺，乘著湖船悠哉遊哉入朝奏事，其他的時刻都在人間仙境逍遙。

宰相平日不上朝，那麼，堆積如山的公文怎麼辦？由堂吏每日抱著公文、檔案一趟又一趟赴葛嶺，呈請賈似道批閱，他雖然深居簡出，擺出逐漸不過問世事的隱士模樣，但是朝中一切臺諫彈劾、諸司荐辟，大大小小的事，沒有他批過根本不能算數。

賈似道既然權傾中外，一般趨炎附勢之徒大家比賽送紅包，不論中央官、地方官、監司、郡守都有價碼，朝中一切政令都自賈似道家中發出，葛嶺已隱隱然成爲政治重心了。

賈似道發跡之初，宋理宗曾經對他夜半挾妓遊湖不以爲然，現在高臥湖中別墅，賈似道大可以堂而皇之遊個痛快了。西湖開闢於唐穆宗時，宋朝曾經加以疏濬，湖水清澈奇巧、畫棟雕樑。

在葛嶺別墅之中有一間房間叫『半閒堂』，半閒堂可以說是賈似道的客廳，也可以說是書房，裡面搜藏有各種字畫古董。

現在我們收集古字畫的人，若是看到畫中有一方『半閒堂』的圖章，表示這幅字畫曾被賈似道收藏過，那可眞是名貴稀罕無比。因爲半閒堂太

半間堂

有名了，也有許多後人爲了提高字畫的身價，特別刻了一個假的半閒堂的章子蓋上去。

半閒堂中除了珍貴的書畫以外，賈似道還爲自己製造了一座肖像，當他本人不在時，肖像就代替他在半閒堂中附庸風雅一番。

葛嶺之中除了半閒堂，還有一個著名的房間，稱之爲多寶閣，顧名思義，多寶閣之中一定有許多的寶貝了，這裡面到底有多少寶貝？因爲賈似道的運氣好，沒有像明朝奸臣嚴嵩、清朝奸臣和珅一般死後被抄家，詳詳細細列了一張清單，因此我們無法查考多寶閣中的眞實情況。

但是由一個小故事，就可以知道賈似道是怎樣上天下海的搜集寶物，賈似道聽説余玠有一條珍貴的玉帶，立刻派人去四川訪求，訪求了半天才知道，原來這條玉帶已經隨余玠入了土殉了葬。

賈似道仍不死心，非得到手不可，他居然派人挖了余玠的墳，開了他的棺木，硬是取出了玉帶。想余玠還是守蜀名將，尚且在死後被開棺，一般小民若是手上有珍寶，哪兒能逃得過賈太師的手掌心。

除了搜集古銅器、法書、名畫、金玉珍寶之外，賈似道還有一項特殊癖好——搜集美女，他喜歡的美女範圍很廣，而且很奇怪，舉凡大家閨秀、小家碧玉都有興趣，青樓名妓固然爲賈似道所喜，連空門女尼他也愛。甚且皇帝身邊的宮人，賈似道也會千方百計把她弄入葛嶺。

被賈似道當成收藏品的美人兒，雖然長得花容月貌，在賈府中也不愁衣食，卻是相當可憐的一群人，因爲賈似道性情殘忍，帶有一點兒虐待狂。

有一回，賈似道帶領姬妾們倚著小樓看窗外，西湖畔正有兩名少年郎由湖登岸，這兩人生得脣紅齒白，風度翩翩，十分的瀟灑引人注意，其中一妾忍不住嘆息：『啊，眞是美少年。』

『你喜歡他嗎？若是喜歡，我就爲你納聘。』賈似道半開玩笑道。

那姬妾不答，只是一勁兒低頭在笑。

過了一個時辰，賈似道端來一方盒子，把諸姬妾們叫到跟前，詭異的說：『我剛剛已爲她納聘了。』說著，揭開盒子一看，赫然是說錯話的小妾的頭，大小姬妾們看了無不大吃一驚，其中一個難過得當場大嘔大吐。

葛嶺一向是門禁森嚴，閒雜人等一概不許出入。某次，一位侍妾的哥哥赴賈府找妹妹，他鄉下人頭一回見這等場面，不免東張西望，好奇得很。

『你是什麼人，看什麼看？』警衛一把揪住了鄉下人。『我，我，我找我妹妹。』鄉下人嚇得張口結舌，警衛不由分說把他提到了賈似道面前。『我妹妹是張美秀，我是她哥哥，我叫……』鄉下人還沒有說完話，賈似道就下了命令：『把他丟到火中燒死！』

這時張美秀也聽說此事，著急的趕了出來，跪在賈似道面前苦苦哀求：『請太師饒命，他確實是我哥哥，我娘找他來告訴我……』

『你不必多說了，就是你親哥哥也不許亂闖！』賈似道既蠻橫又無理。

宋朝人是很講究美食的，中國的烹調藝術在南宋更是發達到了極點，當時筵席上的許多食譜如『水龍腦』、『洗手蟹』、『蓮花鴨簽』做法都已失傳。賈似道尤其是個美食家，他喜歡吃天臺桐樹上的香蕈，自有人大老遠幫他捎來，可惜香蕈隔了一段時日便會走味兒了，於是，送禮者乾脆連桐木一塊送到葛嶺，可以想見其工程之浩大。

賈似道又喜歡食用苕溪的鯿魚，會拍馬者又養了千條鯿魚，按日爲他送上。

他在葛嶺過著窮奢極欲的生活，百姓卻民不聊生，敢怒不敢言，只能悄悄在歌謠之中諷刺朝廷粉飾太平，譬如鄉下婦人滿頭珠翠，其實全是玻璃做的，杭州人就唱道：『滿頭都是假（賈），無處不流離（琉璃）。』暗指賈似道當權，弄得到處流離失所也。

閱讀心得

【第539篇】賈似道鬥蟋蟀。

賈似道終日待在半閒堂裡，閒著也是閒著，總要多想一些好玩的樂子，他最喜歡玩的是賭蟋蟀。蟋蟀好鬥，而且兩隻兇猛的蟋蟀鬥起來拚個你死我活，煞是精采。賈似道最好此道，他經常帶著一群姬妾，與賭徒們席地而坐，昏天黑地的鬥蟋蟀，下賭注。

由於宰相獨好此調調兒，不但臨安城裡的蟋蟀身價百倍，附近城市鄉村，蟋蟀的價格直逼黃金，尤其是誰要能找到品種特異，勇猛厲害的蟋蟀，再加以訓練調教，送到宰相府，保管有重賞。一隻蟋蟀打不了幾個回合就死了，因此，賈似道需要大量生猛的蟋蟀才能一直賭下去。於是官吏們正事不做了，率領著大批百姓翻山鑿洞找蟋蟀。

賈似道混在狎客中賭博，大呼小叫、醜態百出，完全是一派流氓作風。曾有賭客指著殺得難分難解的蟋蟀道：『哪！這就是我宋朝的軍國大事。』事實上，宋朝的軍國大事正在吃緊，蒙古大軍兵圍襄陽，大將呂文煥的求救文書，如雪片一般飛來。賈似道蹲在地上，全神貫注鬥他的蟋蟀，連軍報也沒時間看。

賈似道富可敵國，享盡了人間富貴，但是他除了鬥蟋蟀之外，沒事還

要玩一玩、耍一耍宋度宗才甘心，他在第三度遞上辭呈，度宗賜以葛嶺之後，曾經有三年沒有開口辭相位，到了咸淳六年，他又以多病爲藉口，摜紗帽不肯幹了。

度宗最怕賈似道來這一招，每次賈似道嘟嘟囔囔不想幹了，度宗就膝蓋發軟，眼冒金星，他好話說盡，眼淚都要掉下來了，賈似道依然執意非走不可。

最後，度宗低聲下氣，拜託賈似道六日一朝，入朝一拜，就是六天才上一天班，其餘全是週末假日，賈似道仍然不肯。

『那、那就十日一朝吧。』度宗搓著手哀求道。

從此，賈似道十日一朝，入朝不拜。非但不拜，每次退朝，度宗還趕快起立，行注目禮，目送賈似道邁著方步，大搖大擺的步出朝廷。

當時，蒙古兵圍襄陽，前線緊張極了，度宗也曉得，每次想要問，又不敢開口，心中總是期待賈似道自己說，但是，賈似道總是不說。

度宗眞是好耐性，這一等，他竟然熬了三年，不敢開口詢問，由此可見這個皇帝是怎樣的窩囊，無怪乎賈似道騎到度宗頭上撒野。

終於等到有一日，度宗鼓足了勇氣問他：『襄陽之圍已三年，你準備怎麼辦？』

豈料賈似道這個老滑頭居然回答：『北兵早退去。』

賈似道這麼回話，做皇帝的原該痛加斥責，這簡直是欺君之罪嘛。但是度宗怕怕，他不敢，呆立半晌，不曉得如何是好，心裡頭卻是很生氣。

誰知賈似道不得理卻也不饒人，接著又逼問度宗：『陛下是聽什麼人說襄陽被困三年？』

事實上，許多憂心忡忡的大臣都曾經跟度宗提過，度宗不敢回話，情急之下說：『噢，一個女嬪說的。』

『哪一個女嬪？』賈似道仍要打破砂鍋問到底。

心虛的度宗只好告訴賈似道一個女嬪的名字，過了沒有兩天，女嬪被人害死。

自此而後，沒有人敢再上奏皇帝邊事告急之事，度宗碰了這個釘子，下一次也不敢再問賈似道了，事實上，問了半天也是白問。

咸淳九年，守襄陽的呂文煥因救兵不到，又聞說宰相大人忙著鬥蟋蟀的『軍國大事』，無暇顧及宋朝邊境的軍國大事，心寒極了，憤恨交加投降蒙古人。呂文煥赤膽忠心，完完全全是被朝廷逼的，天下洶洶，都為呂文煥抱不平，也都恨死了賈似道誤國殃民。但是賈似道仍然好官我自為之。

有一次，度宗赴郊外舉行祭禮，賈似道擔任大禮使，禮成之後，正準備還宮，忽然下起傾盆大雨，雨過天青之後，再起駕回宮。

誰知一個時辰、兩個時辰過去了，雨勢愈來愈猛，沒有停止的跡象，度宗身體孱弱，有點兒受不了。當時護駕的侍衛胡顯祖是胡貴妃的哥哥，忍不住勸皇帝先坐轎子回宮。度宗也點點頭，正要上轎。

忽的，賈似道一吼：『臣為大禮使，豈有大禮使不知，陛下竟然擅自舉動，既然如此，我這個宰相也不必做了。』可憐的度宗又膽戰心驚，連忙慰留賈似道，賈似道仍然氣鼓鼓的，非辭官回家不可。最後，度宗不但撤了胡顯祖的職，而且把胡貴妃剃光頭髮，趕入尼姑庵，賈似道才勉勉強強繼續當宰相。

度宗在位第十年，賈似道母親過世，照理是要守制三年，但是援史嵩之的例，馬上起復，史嵩之不守喪，鬧得軒然大波，賈太師不守喪，沒人敢吭聲。

賈母出殯的當天，墳墓一如皇陵，文武百官全部參加，突然大雨傾盆，而且是狂風暴雨，『大雨大雨一直落』，竟然沒人敢打傘，沒人敢易位。許多老臣回家之後都傷風感冒，幾乎一命嗚呼。

宋朝本來國勢積弱，被賈似道這麼橫整胡來的亂搞，大宋的江山，不久就斷送了。船到橋頭未必直也，度宗若不是這麼無能，被賈似道肆意玩弄於股掌之上，國家也不至於走上絕路。蒙古能夠滅亡宋朝並不是偶然的事，下面我們要回過頭來講一講有關蒙古的故事。

閱讀心得

【第540篇】

阿蘭豁阿折箭教子。

南宋國勢衰弱之際，在中國北方，蒙古正悄悄的興起。

提起蒙古，那似乎是個遙遠又神秘的地方。許多人中學讀過元朝的歷史，除了很痛苦的背過蒙古四大汗國及蒙古西征，背完了又還給歷史老師而外，大家對蒙古的了解實在極其有限。從本篇起，我們將試著用有趣又有系統的方式，爲讀者們介紹蒙古的歷史，增加對異族文化的了解。

在中國歷史中，有關蒙古最早的紀錄是舊唐書的北狄傳，稱之爲『蒙兀兒室韋』，在今天黑龍江省西北部及外蒙古車臣汗北境一帶，天連天，地連地，有遼闊的草原和戈壁，正如同著名的蒙古民歌中所唱的：『敕勒川，陰山下，天似穹廬，籠蓋四野，天蒼蒼，野茫茫，風吹草低見牛羊。』整個蒙古高原是荒涼、乾燥、寒冷。不同的氣候景觀，也孕育出不同的文化。

蒙古人主要是以遊牧與狩獵爲主，它的社會、政治、經濟、軍事都是以此爲基礎。據說成吉思汗曾經說過：『有一天我的子嗣們若是放棄了自由自在的遊牧生活，和漢人一般，住進用汙泥造成的房屋，那就是我們蒙古人的末日了。』由此可見，蒙古人是多麼以遊牧生活自豪。

根據蒙古學者札奇斯欽所寫的《蒙古文化與社會》一書中，他曾考證蒙古黃金史，有這麼有趣的一段：

有一天，成吉思汗帶著幾個皇子，大夥兒暢談什麼是人間最快樂的事。朮赤說：『我想要謹謹愼愼的牧養家畜，再挑選一塊最好的地方，把官帳安置好，大家一塊兒宴會享樂。』

察合臺說：『在我看來，克服敵人，擊潰對手，能夠給幼駝穿鼻孔，或是萬里長征把戴寶冠最美的美女擄回來，那才過癮！』

拖雷也神采飛揚接口道：『騎上調練好的良駒，帶著馴好的猛鷹，到深澤行獵，去捉布穀鳥，或是騎著花斑梟，帶著海青鷹，去捉花斑鳥，這才有意思哪。』

由此可知，遊牧與狩獵是蒙古人最有興趣的事。蒙古的家畜的地位，因而分爲五個等級次序：馬、牛、駱駝、羊、山羊。我們也能夠由此了解蒙古文化的一部分。

　　馬是蒙古人最喜愛的家畜，人在空曠的草原上，離開了馬，簡直寸步難行，所以蒙古人有一句諺語：『人生最大的不幸是少年的時候離開了父親，在半途之中，離開了馬。』

　　快捷的馬匹載著蒙古人，建立了元朝帝國，無怪乎蒙古人對馬另眼相看了，許多蒙古人家，在帳幕外懸掛許多小旗，旗上畫著一匹有翅膀的飛馬，表示這家人的運氣如天馬行空。蒙古人甚且認爲，人死後升天，也是騎馬上天的。

　　在馬群之中，又以白馬最爲尊貴，蒙古親王向來是騎白馬的，眞是所謂『白馬王子』，蒙古人進貢最高級的禮物是『九白之貢』——白駝一匹，白馬九匹。

蒙古小孩到了三、四歲就時常隨著父母騎馬，五歲的時候，已經可以自己騎著一匹馬，由父母牽著，在草原上馳騁了，好厲害！

牛是和人家住在一起的，牠們自己會早出晚歸，不需牧人照管，牛不僅是供給遊牧人食糧，而且也是拉車的交通工具。蒙古的牛以犛牛、毛牛爲主，比中原的牛壯得多。

駱駝是長程運輸的交通工具，駱駝也是所有家畜之中，最兇猛不馴的動物。

羊分爲長尾與圓尾的兩種，羊毛雖粗，極爲純白美麗，蒙古人常說草原上的羊群美得像撒在綠絨上的珍珠。羊肉、羊乳是蒙古人主要的食糧，羊毛、羊皮則是衣服的材料。

蒙古人是怎麼樣來到現在的蒙古高原來的？根據蒙古人自己的傳說，在鐵木眞（成吉思汗）出生的兩千年前，蒙古人因被敵人打敗而慘遭屠殺，只剩下一男一女，逃到額兒格涅昆山中，繁衍後代，經過了許多年，有一個蒙古人娶了美女阿蘭豁阿爲妻，生了兩個兒子之後，丈夫就死了，阿蘭遇到了一件神奇的事，又生了三個兒子，阿蘭曾告訴她五個兒子說：

『記得那段時候，每天晚上有一個黃白色的人，藉著帳篷天窗露空之處的光線，進來撫摸我的肚皮，光線就這麼滲透入我的腹中，然後黃白色的人，又藉著光影，如同黃狗一般，搖搖擺擺出去了，這樣看來，你們都是上天的子民，你們不是普通凡人啊！』

阿蘭是蒙古史中著名的母親，以善於教育子女著名。有一回，阿蘭煮了臘羊肉，給五個兒子吃，一般而言，蒙古人多半在冬季十一月，把肥羊宰了，將肉切成細條，陰乾製成臘羊肉，準備春天吃，因爲春天羊瘦了，不適宜宰食。

烤好的臘羊肉，芳香撲鼻，十分誘人。五個兄弟狼吞虎嚥，吃得乾乾淨淨。

接著，阿蘭給每個兒子一枝箭桿說：『折斷吧！』

他們毫不費力的把箭桿『咔嚓』一聲折成兩段，拿在手上玩兒。

阿蘭又取來五枝箭桿，緊緊的綑在一起，再交給他們說：『折斷吧！』老大先來，他使盡全力，汗珠涔涔而下，還是折不斷，無可奈何交給老二，老二也試了又試，臉紅脖子粗，依然失敗，只好再交給老三，一直到了老五，沒有一個人能把五枝箭桿折斷。

母親阿蘭開口了：『你們五兄弟就像是五枝箭，分開來容易被折斷，若是合而為一，五人同心，誰能折之？』

這段故事，許多人都聽過，恐怕很少人知道這是一個蒙古媽媽的床邊故事，很有意思吧！

閱讀心得

【第541篇】也速該搶親。

在上篇中，我們說到，阿蘭豁阿用折斷箭桿的例子，教訓她五個兒子要團結對外。

阿蘭當初是被搶親搶過來的。

都蛙鎖豁兒是一個獨眼龍，雖然只剩下一隻眼睛，卻是個千里眼，能夠看到比別人更遠的景物。

有一天，他和弟弟朵蔑兒干登山，遠遠看見有一群人，其中有個女郎，生得異常標緻，獨眼龍眼睛尖，把那女郎前前後後看得異常清楚，他一拍大腿道：『這個女子生得真好，若是不曾嫁人，可討來給弟弟做妻子。』於是，兄弟兩人快馬加鞭趕下山，找到那位女郎，一問之下，她名叫阿蘭豁阿，也不曾嫁人，而且是當地著名的美人兒，獨眼龍好高興，不由分說便把阿蘭搶了回來，給弟弟做妻子。

阿蘭生了五個兒子，最小的一個叫孛瑞察兒，因爲年紀小，四個哥哥聯手欺負他，在母親阿蘭死了以後，四人分了家產，把小弟弟摒棄在外。孛瑞察兒沒有辦法，只好垂頭喪氣策馬而去，靠著馴黃鷹爲生，練習武功。

等到孛瑞察兒逐漸壯大，取得鄰近部落的支援，他四個哥哥才想起小

兄弟，也憶起母親當年的耳提面命：『你們五個兄弟有如五枝箭，分開來容易被折斷，若是合而爲一，誰能折之，你們五人一心，則堅強無敵也。』

這個時候，孛瑞察兒才被迎回來，而且不久之後當上了酋長。

孛瑞察兒回到家裡以後，與四個哥哥倒是相處甚歡。有一日，他騎著小馬，跟在哥哥身後，一邊兒放馬小跑，一邊兒說著：『哥哥，一個人身上要有頭，衣服要有領才好吧？』

這個話說得沒頭沒腦，哥哥懶得理會。

於是，孛瑞察兒又重複了一遍，大哥這才開了口：『你到底在講些什麼啊？』

『我的意思是，剛才在統格梨克小河，我們看到的那群人，沒有領袖，沒有組織，就好像一個人身上沒長頭，衣服沒有領子，很容易對付的，不如我們去擄掠他們。』

兄弟們商量了一會兒，心想反正閒著也是閒著，不如去試一試身手，五個兄弟上了馬，孛瑞察兒當先鋒殺向前去。

孛瑞察兒在擄掠行動中，抓到了一個懷孕的婦女，面貌姣好，他眉毛一挑道：『你叫什麼名字？』

『我，我是兀良合真。』

話還沒說完，孛瑞察兒已經一把摟住兀良合真的腰，把她抱上馬，揚長而去。這個懷孕的婦女，就做了孛瑞察兒的妻子，孛瑞察兒便是成吉思汗第十代祖先。兄弟五人大搶大掠之下，馬群、食糧、屬民、僕婢都有了，孛瑞察兒因爲搶了一個孕婦，連兒子都有了。

成吉思汗父母的結合，也是搶親成婚。

也速該有一天在斡難河放鷹，正好遇見了蔑兒乞族在迎親，也客赤列都精神抖擻，滿臉紅光，等著當新郎。

也速該好奇的瞄一眼新娘，啊，眞是美若天仙，難怪也客赤列都如此興奮。也速該心想：『這麼美麗的一個貴婦人，應該屬於我才好。』他趕緊回家討救兵，拉了兩個哥哥助陣。

他三人一到，也客赤列都就害怕起來了，夾著馬逃到山岡上去躲避，也速該兄弟也立刻快馬加鞭衝上山岡。

這時，美麗的新娘月倫開口了：『你看到那三個人嗎？他們來者不善，似乎要取你的性命，你趕快逃吧，只要撿回一條命，你一定還有美麗的閨女和夫人的。』

『如果，如果你還記得我，你可以再娶一個女的，讓她的名字也叫月倫，你快點逃吧！』

說著，月倫脫下自己的襯衣，交給也客赤列都：『這上面有我的體香，你聞著我的味兒當紀念吧！』

此時，也速該兄弟追了上來，也客赤列都拿著襯衣，慌慌張張的逃走了，月倫就換了一個新郎。

月倫心中很難過，她遙遠的眺望著也客赤列都消失的方向，痛苦的說：『也客赤列都逆著狂風，飄散著頭髮，在曠野中餓著肚子，不知道怎麼樣！』

月倫哭得驚天動地，連斡難河的河水都震起波浪，山谷都洋溢著回聲。

也速該的二哥勸她說：『你所摟抱的人早已越過山嶺，你所痛哭的人兒也早已渡過了許多河川，你再哭再鬧，也找不到也客赤列都的身影，你還是別哭了吧！』

月倫這才慢慢止住了淚水。

從上面三個故事看來，當年遊牧社會搶親是普遍的，而且是合法的，女人只有乖乖的認命。所以月倫做了也速該的妻子以後，還過著相當美滿的生活。

月倫是蒙古史上一個相當重要的女人，因此，也速該搶親這一件事情，是改變了蒙古歷史，甚且世界歷史的一件大事。因爲月倫就是成吉思汗的母親。

閱讀心得

【第542篇】堅強的蒙古母親—月倫。

在上一篇中，我們介紹了也速該搶親成功，娶了美女月倫。西元一一五五年（宋高宗紹興二十五年），也速該與塔塔兒人展開大戰，俘虜了塔塔兒兩個部將，其中一名叫做鐵木眞。

也速該回到家裡，聽到月倫剛剛產下一名男嬰，也速該十分高興，依照蒙古的習慣，爲表示勝利的光榮，便以『鐵木眞』爲兒子命名，這個嬰兒鐵木眞就是日後創建蒙古帝國，震撼世界的成吉思汗。

鐵木眞生下來的時候，據說他手裡拿著一個血塊，形同髀石。所謂髀石是羊的蹄與腿骨相接處的髀骨，蒙古人用它當玩具。這塊血塊，色如豬肝，十分堅硬，這塊凝血也象徵鐵木眞的一生——鐵血，他在鐵血中出生，也在鐵血中成長壯大。

在鐵木眞九歲那年，他的父親也速該帶著他，到月倫娘家，準備尋求一個理想的結婚對象。走到一半，遇到德薛禪（德薛禪的意思爲賢者或是智者）。德薛禪問也速該：『你這麼匆匆忙忙，要到哪兒去啊？』

『我要到這孩子的母舅家去求親。』也速該笑著回答。

德薛禪仔細端詳了鐵木眞，誇讚道：『這個孩子眞不錯，眼中有火，臉上有光。』

蒙古人喜歡用『眼中有火，臉上有光』讚美小朋友，意思是說臉上容光煥發，目光炯炯，具有熱情。蒙古人對於臉色蒼白，眼光冷漠，沒有熱情的孩子，是沒有興趣的。

德薛禪很興奮的說：『也速該親家，昨天我做了一個奇怪的夢，夢見白海青（老鷹的一種）抓著太陽和月亮，飛來落在我的手臂上，可見這就是你帶著你的兒子前來的預兆啊。』原來，德薛禪看上了鐵木真，想把女兒許配給他。

『來來，也速該親家，到我家去看看我女兒的姿色吧！』德薛禪拉著也速該父子，回到家中。

也速該看到德薛禪的女兒，也是個臉上有光，目中有火的女孩，正合自己的心意，一眼就相中了。

德薛禪的女兒，名叫孛兒帖，十分美麗，比鐵木眞大一歲，剛好十歲。當天晚上，雙方家長即認定了這一門親事，也速該留下了一匹馬做爲聘禮，又依照德薛禪的請求，把鐵木眞留在岳家，也速該交代道：『我把兒子給你當女婿，我兒子怕狗，你可別叫狗兒嚇著我的兒子呀！』然後，也速該就回去了。

也速該走到一半，正好遇到塔塔兒人在擺筵席，他飢腸轆轆，不客氣的下馬歇息，昂然入座。

塔塔兒人認出也速該，想起以前被擄掠的舊恨，在食物中摻了毒藥。也速該不知情，大塊吃肉，大碗喝酒，十分過癮。

回到家以後，也速該漸漸不舒服，一陣陣冒冷汗，他這才知道中了毒，臨終之前，命人趕往德薛禪家中，把鐵木眞接回來。

月倫如今孤兒寡母，十分可憐，鐵木眞最長，只有九歲，他下面還有三個弟弟，一個妹妹，分別是七歲、五歲、三歲，小妹妹還在搖籃裡。蒙古人有一種特殊的搖籃，用一塊二尺長的木板釘成，下面有兩個弓形的木條，兩旁有孔，易於穿帶，把嬰兒縛在板上搖晃催眠，這種方法據說可以使幼兒的腰腿發育正常。

除了四子一女外，鐵木眞有一個庶母，也生了兩個男孩，這一家子總共有九個人，都要靠月倫張羅。

自從也速該被毒死之後，族人對月倫母子不理不睬，無論祭祖、燒飯祭祀都不理會月倫。月倫十分傷心的哭訴：『你們爲什麼在分領祭祖的胙肉與供酒時，故意不肯等我呢？你們難道不知道，我的孩子還沒有長大嗎？』

『呸！你若是剛好碰到了，才有你吃的，哪有你一來，就分你肉的道理！』族人大聲呵責月倫。

過了沒多久，也速該的部眾，更被泰赤烏人引誘走了，拋棄了月倫母子，他們撤走帳篷，毫不留情的說：『溪水乾了，明石碎了，還留在這裡做什麼？』

月倫聽說此事，拿著軍旗，前往追趕，截回了一部分部眾，但是這些被追回來的部眾，仍舊不肯留下，沒多久，又偷偷的溜走了。

月倫無可奈何，幸虧她很能幹，拾果子、掘野菜養活孩子們。

鐵木眞漸漸長大，他和他的弟弟們也都成了臂力過人的勇士們。

鐵木眞說：『我們要奉養母親。』於是，兄弟們製作了釣鈎去釣魚，也用火烘彎了針，去釣細鱗白魚，更用攔河網去撈小魚、大魚。

有一天，他們兄弟三人去捕魚，一條很亮的大魚上鈎了，卻被庶母兄弟奪走了，在此之前，鐵木眞捉到一隻鳥兒，也同樣被搶走了，兄弟們好生氣，趕快回來向母親告狀。

月倫卻和顏悅色：『不要那樣，我們除了影子之外，沒有別的同伴，除了尾巴之外，沒有別的鞭子，你們兄弟應該要團結。別忘了，泰赤烏人的仇還沒有報！』

月倫眞是一位識大體的慈母！

閱讀心得

【第543篇】鐵木眞死裡逃生。

也速該死後，月倫帶著鐵木眞兄弟，孤兒寡母過著艱困的日子，禍不單行，泰赤烏人偏又來找麻煩。

泰赤烏人在也速該死後，帶走他遺留下來的部衆，他們見到鐵木眞日漸茁壯，有如『雛兒脫毛了，羊羔兒長大了』，決定先下手爲強，經常尋釁，月倫母子很害怕。

有一次，泰赤烏人又來了，母子們就在密林中折下樹枝，搭起棚子，以供全家人躲藏，更把三個年紀小的藏在崖縫兒裡。

泰赤烏人高聲叫道：『叫你們的哥哥鐵木眞馬上出來，其餘的都沒有事！』

兄弟們趕緊呼喚：『鐵木眞，快逃！』

矯捷的鐵木眞騎上快馬，逃入密林深處，躲了起來，泰赤烏人把山團團圍住，不怕鐵木眞逃掉。

鐵木眞在密林裡熬了三天三夜，正想要走出去，忽然，他的鞍子從馬上脫落下來，回頭一看，肚帶仍在，鞍子怎麼會掉下來呢？他自忖，『莫非是上天阻止我？』於是留了下來。

又過了三天三夜，鐵木眞實在餓慌了，他準備不顧一切的下山，正要

走出密林。忽的，一塊巨大的岩石滾下來，不偏不倚恰好擋住出口。鐵木眞又想：『莫非上天又在阻止我？』他再度留了下來。

到了第九天，鐵木眞快要餓扁了，他自言自語道：『總不能這樣不明不白莫名其妙的死去啊！不如出去碰碰運氣。』由於有岩石擋道，他拿出利刀，砍斷樹木，緩緩的走下山來。一出現，馬上被泰赤烏人逮個正著。

泰赤烏人興高采烈拿住鐵木眞，帶回他們的地盤，讓他戴枷示衆。隔天夜晚，正是一個祭祖的『紅圓光日』，泰赤烏人在斡難河舉行大規模的宴會，只留下一個瘦弱小童看守鐵木眞。

鐵木眞眼看機會來了，他舉起手上的枷鎖，往那個小童身上一敲，小童應聲而倒。他急忙奔入斡難河岸的森林，跳入水裡，只留下一個頭在水面。

看守的小童甦醒之後大叫：『犯人逃了！』泰赤烏人聞聲而至，當夜月光朗朗有如白天，他們沿著斡難河樹林，一排一排接著找，非把鐵木眞找到不可。

泰赤烏人中有一個叫鎖兒罕失剌的，忽然發現鐵木眞仰著臉，躺在水裡，忍不住起了愛才之心，他對鐵木眞說：『正因爲你如此有見識，目中有火，臉上有光，泰赤烏人才這般恨你，你放心，我也不告發你，你就這麼謹慎的躺著吧！』

正在這個時候，大隊泰赤烏人趕了過來，鎖兒罕失剌說：『白天裡讓犯人給逃走了，現在天黑了，怎麼找得著？還是按著原來的路跡，去看看未曾看過的地方吧，那個戴枷的人能逃到哪兒呢？』

大家都累了，異口同聲說：『好啦，明天再找吧！』

等到泰赤烏人走遠了，鎖兒罕失剌再回到水邊，對鐵木眞說：『他們現在已經散了，趕快回去找母親和弟弟吧，如果遇見別人，你可別說曾經遇到我。』

鎖兒罕失剌走後，鐵木眞心想，我現在逃，可也逃不遠，鎖兒罕失剌倒眞是一個老好人，昨天晚上，他兩個兒子看守我，還曾經替我鬆了枷，讓我安睡一夜，我不如前去投靠他們。

於是，鐵木眞躡手躡足，順著斡難河，尋找鎖兒罕失剌，鐵木眞依稀記得，他兩個兒子說過，家裡經常打馬奶，一直攪拌到天明，聰明的鐵木眞一路走，一路側耳傾聽，他聽到把馬奶灌到皮囊裡的聲音，他循著聲音，找到了正在忙碌的鎖兒罕失刺。

鎖兒罕失刺見到鐵木眞，嚇了一大跳，很不高興的說：『你跑來幹什麼？我不是告訴你，要你去找媽媽？』他的兩個兒子倒是忙著爲鐵木眞說情：『雀兒被鷂鳥追趕，躲到草叢裡，草叢還要救牠，如果我們不救鐵木眞，倒顯得比草還不如了。』

說著，兩兄弟合力幫鐵木眞鬆了枷，順手把枷給扔入火中給燒了，叫鐵木眞坐在後面裝羊毛的車裡躲著。在蒙古遊牧地區，由於時常要遷移，所有財產，如果不是時時要使用，多半都儲藏在環繞穹帳周圍的車子上，所以羊毛也是放在車上。

兩兄弟喚妹妹去照顧鐵木眞，並且叮嚀道：『記住，別對任何人提起這件事。』

天明之後，泰赤烏人到處尋覓，不見鐵木眞的下落，疑心有人把鐵木眞藏了起來，一個營一個營的逐家查訪。

泰赤烏人搜查到鎖兒罕失剌的家中，內內外外都被搜遍了，最後又去搜查裝羊毛的車子，把一捆一捆的羊毛搬出車外，快要看到鐵木眞的脚的時候，鎖兒罕失剌急中生智道：『這麼熱的天氣，羊毛裡如果有人，怎麼受得了？』

蒙古人一向怕熱，泰赤烏人認爲他的話言之有理，便不再搜查，轉往別家去了。

泰赤烏人走了，鎖兒罕失剌對鐵木眞說：『爲了你，差一點我們家像風吹灰散般的毀了，你趕快走吧！』他送了鐵木眞一隻騍馬，煮了一隻羔羊，又給了他一桶馬乳，鐵木眞遂千謝萬謝的離開了。

閱讀心得

【第544篇】

少年英雄結伴行。

鐵木眞歷盡千辛萬苦，逃離泰赤烏人的掌握，回到了故居。但是，鐵木眞的母親月倫已經舉家遷走。

鐵木眞循著斡難河，一路尋尋覓覓，終於找到了母親和弟弟妹妹們，全家商量的結果，爲了防止泰赤烏人再來騷擾，決定搬到更荒涼僻遠的不兒罕山之中，以土撥鼠爲食。蒙古人通常是不吃土撥鼠的，由此可見，鐵木眞當時一家生活貧困的情形。

即使是躲在深山裡，命運之神仍然不放棄考驗他們，鐵木眞當時全家的財產不過只有八匹銀灰色的馬，一匹甘草色的黃馬。有一天，強盜來了，把八匹銀灰馬給劫走了，等到家人發現，強盜已跑遠了，唯一剩下的黃馬，又被別勒古臺騎著去追土撥鼠了。

別勒古臺回到家，聽說這件事，嘆口氣道：『我去追！』

鐵木眞說：『你不行，我來吧！』說著，鐵木眞騎上禿尾巴的黃馬，順著草上踏過的馬跡，一路追蹤而去。他在滾滾黃塵之中追了三天，什麼也沒有看到，十分洩氣，到了第四天一早，鐵木眞看到一個年輕英俊的少年正在擠馬乳，於是，向他打聽。

『今天清早，天還沒有亮，我看到八匹銀馬，從這裡走過去了，我指

給你蹤跡。』過了一會兒，他又說：『算了，不如我陪你一塊兒去吧，朋友，你這一路一定很辛苦了，男子漢的艱苦原是一樣的，我們不如作個伴兒，我叫博爾朮。』

博爾朮看看鐵木眞的黃馬，笑著說：『騎這種馬，你永遠也別想追得上，不如把牠給放了吧！』老黃馬垂頭喪氣，差點兒要吐白沫，實在也跑不動了。

鐵木眞換上博爾朮牽來的黑脊梁白馬，他騎上去，拍一拍馬頭道：『嗯！果然是匹好馬。』

博爾朮順手把擠了一半的皮桶子，用皮斗子紮了起來，放在野地裡，自顧自的與鐵木眞並轡而行，大概也是英雄惺惺相惜吧。

兩人昏天黑地趕了三天，到了第三天傍晚，太陽快要下山的時候，鐵木眞看到了久違了的八匹銀馬，正在大圈子外面吃草。

鐵木眞說：『夥伴，你留在這兒，我把馬趕出來。』

『講了與你一塊兒作伴，我怎能留在這兒？』說完話，他也放馬直奔，把那八匹銀馬趕出圈子外，所謂圈子，是蒙古一個遊牧單位，常用車輛環繞帳幕放置，形成一個圈圈，作爲柵寨之用。

他們順利的趕出了八匹銀馬，隨即強盜追上前來，博爾朮說：『夥伴，快把箭給我。』

『爲了我，讓你受傷，不好意思，我來射吧。』

鐵木眞箭法極準，回首一射，馬上命中，然後他倆趁著天色漸暗，逃離了強盜的追趕。他們日夜趕路，一連趕了三天三夜，回到博爾朮的家裡。

鐵木眞滿懷感激的說：『夥伴，若不是你，我能找回這些馬嗎？咱們分吧，你要多少？』

博爾朮聽了，昂首大笑：『你以爲我要的是你的馬嗎？我只要交你這個朋友。馬，我是不希罕的，你大概不知道，我父親是納忽伯顏，有名的大財主，而我是他唯一的獨子。』

正在此時，納忽伯顏走出來了，他因爲兒子離奇失蹤，哭得淚流滿面，忽然看到兒子回來了，還帶著一個壯健的少年郎，又高興又生氣，於是一面哭泣，一面責備兒子，哭哭笑笑的，鬧了好一陣子。

博爾朮扮了一個鬼臉道：『怎麼啦！別生氣，好朋友辛辛苦苦的前來，我去給他作伴，現在不是回來了嗎？』然後，他騎馬出去，把放在野地裡紮起的皮桶子、皮斗子拿回來，快快樂樂打了一場牙祭。

納忽伯顏看著兩個少年郎，都是『眼中有火，臉上有光』活潑潑的模樣，心中十分歡喜，勸勉他們說：『你們兩個年輕人要互相照顧，日後不可相棄。』這時候的博爾朮只有十三歲大，他以後成爲成吉思汗的四傑之首。

鐵木真臨行之前，博爾朮替他準備了一隻肥肥的羔羊，一皮桶馬奶，給他當行糧。鐵木真帶著八匹銀馬，輕快的回到家中。

月倫母子們，由於鐵木真一去未返，正在擔心他是否出了事，忽然看到鐵木真笑嘻嘻的回來，還帶著八匹被奪走的馬匹，眞是高興極了。

這一趟鐵木眞回來之後，月倫看著兒子眞是長大了，有意爲他成親。鐵木眞聽月倫媽媽這麼提議，心中也十分歡喜，馬上帶著弟弟，順著克魯倫河去找岳父德薛禪。

想當初，德薛禪一眼相中了鐵木眞，這會兒久別重逢，激動的猛搖鐵木眞：『聽說泰赤烏人把你視爲眼中釘，我愁得快要絕望了，好容易我們又相見啊。』德薛禪又忙著把妻子找出來見鐵木眞，丈母娘看女婿愈看愈有趣，開始準備結婚大典了。

閱讀心得

【第545篇】鐵木眞成親。

漢人成親的方式，大家都很熟悉。現在，我們藉著鐵木眞的成親，介紹一下蒙古的婚姻習俗。

當初，鐵木眞定親，是由父親也速該帶著他，去外地尋訪得來。在塞北的蒙古，自古就地廣人稀，又嚴格執行族外婚，近親不得結婚的規定，因此，娶媳婦頗爲麻煩，不得不長途跋涉，到其他民族中去訪求佳麗，這也是容易造成搶親的原因。

蒙古的婚姻，差不多都是由族長或父母之命而定的，很少有自由戀愛而結合的。在蒙古文獻之中，最早一篇記載蒙古人婚嫁故事的，就是鐵木眞成親的一段。

在鐵木眞九歲的時候，也速該帶著他，到母親月倫娘家，去找一個女孩定親。半途中遇到德薛禪，他一眼就發現了鐵木眞年紀雖小，相貌不凡，興奮的說：『你這個兒子是個臉上有光、目中有火的孩子啊，也速該親家，我昨天夜裡做了一個夢，夢見白海青抓著太陽和月亮，飛來落在我的手臂上。原來這個夢是你帶著你的孩子前來的預兆啊。我們翁吉剌惕人自古就是，男兒們相貌堂堂，女兒們姿色嬌麗。……也速該親家，到我家去吧，我的女兒還小呢，你看看吧。』說著，德薛禪就把他們領到自己家裡去。

也速該一見德薛禪的女兒，活潑伶俐、跳跳蹦蹦，也是一個臉上有光、目中有火的女孩兒，正合自己的心意，馬上就相中了。

第二天一大早，也速該醒來頭一件事，就是向德薛禪提親。

德薛禪笑逐顏開道：『你多求幾遍，我才許，這才會被人尊敬；少求幾遍，就許給啊，要被人看輕的，女兒家的命運，沒有老在娘家門裡的。我把我的女兒給你們吧，把你的兒子當作女婿，給我留下，回去吧！』

於是，也速該把自己的馬兒，當作定禮給了德薛禪，鐵木眞也留在準岳父家。也速該走後，半途中遇到塔塔兒人宴客，他不客氣的入席，塔塔兒人認出也速該，想起前仇舊恨，在酒食之中暗暗下毒，也速該回家不久一命嗚呼。

蒙古習俗是，一經許婚，男方必須馬上送上定禮，並且讓未來的女婿留住在岳家。鐵木眞是因爲遭到父喪，匆匆返家，才沒在德薛禪家中住下。

這一回，鐵木眞已經長大，前往岳家迎親。德薛禪夫婦大喜，即命女兒孛兒帖與鐵木眞成親，這一年鐵木眞二十歲。

根據蒙古習俗，在迎娶之日，新郎要佩帶弓矢前來，這個時候，女方派人阻止他們到女家的穹帳附近，於是雙方的『說客』出場辯難。男方說明他們此來的目的、新郎的家世等等。

女方的代表，則一面處處與對方爲難，一面述說女家的美德與優良傳統等等，他們之間的一問一答，都是用韻文，這種對話沒有一定的東西可以背誦，必須是脫口而出，朗誦創作才可，最後一定是女方讓步，叫他們來迎娶。

新郎進入岳家以後，要向女家的父母長親行跪拜之禮，並且接受他們的祝福。然後女家的雙親贈送新郎一套新衣，叫他穿上，把預備好的弓箭，讓他佩上，然後，在祝福聲中，送女兒騎上駿馬。

接著，要舉行一場盛大的宴會，在宴會中所飲用的酒，必定是一甕新酒，甕口用皮革包起來，獻酒時拿新的象牙筷子，刺破皮革，倒出酒來，這也是用以象徵此家的女兒的貞潔。

新娘離開家時，要換上漂亮的盛裝，同時還要從頭到脚，換上一件一色的布罩，罩袍的顏色則依占卜的吉日不同而互異。新郎新娘走到一個適宜的地點之時，下馬祭拜蒼天，拜天禮儀完成之後，新娘去除衣外的布罩，兩人才算正式結爲夫婦。

依照蒙古的習俗，父母要親自把新娘送走，孛兒帖的父親送小兩口到克魯倫河畔，母親搠壇則陪著愛女，一直送到鐵木眞家。

蒙古男兒新婚之時，他的父母一定會爲他建一個嶄新的穹廬，這就是他的新房，在這個穹帳之中，有新夫婦的喜床，這一張床，永遠不會再更換，也沒有任何外人可以坐在上邊，或是把物件放在上面。

更有趣的是，在建蓋支搭這新的穹帳之時，一面搭，要一面朗誦祝福，祝賀這一對新人白首偕老，一生幸福，子孫滿堂，事業發達，同時，還要把一塊乳油抹在天窗上，抹奶油時，也要說些吉祥如意的話語，祝福這個新房的主人，譬如：『有蓮花般的頂蓋，堅固結實的牆壁，細長美好的房椽，光輝明朗的天窗，願這穹廬成爲他們長壽幸福、子孫繁衍的住所。』

孛兒帖拜見婆婆月倫之時，帶來一件上等黑貂裘，作爲拜見翁姑的見面禮。鐵木眞把這件名貴的黑貂裘，轉送給客烈部長王罕，用來聯絡感情，鐵木眞說：『你與我父親曾經結爲安荅，就如同我父親一般，我現在娶了妻子，我把我妻子呈給翁姑的衣服拿給你。』

所謂安荅，指的是互換贈物，明誓結爲弟兄的意思。

王罕接過黑貂皮褂子，十分歡喜：『我幫你把背離的百姓，再重新組合起來！』到此一時刻，鐵木眞才眞正走上了成家立業的道路。

閱讀心得

【第546篇】

鐵木眞愛妻被擄。

鐵木眞結婚以後，很想念曾經助他一臂之力，幫忙找回八匹銀馬的博爾朮。於是，派了弟弟別勒古臺到博爾朮家，邀請他前來作伴。

博爾朮正好也很思念鐵木眞，順手帶著一件毛絨襖，騎上一匹甘草黃馬，就隨同別勒古臺來了。兩人相見，互相重重的拍擊，十分的開心。從此以後，博爾朮在鐵木眞家住下來，再也沒有分離。

同時，鐵木眞在婚後，舉家遷往克魯倫河，過了一段幸福快樂的日子。

有一天清晨，天還沒有亮，在鐵木眞母親月倫身邊使喚的老女僕——豁阿黑臣忽然驚醒，覺得不對勁，她跳下來，用耳朵貼緊地面，全神貫注的傾聽，果然有自遠而近的人馬喧騰聲音。（按蒙古草原，廣大而寧靜，以耳伏地，可以察覺到二、三十里外的動靜。）

老女僕急忙推醒月倫：『趕快起來，我聽見地震動的聲音啦，莫不是泰赤烏人又來了！』

月倫大叫一聲：『趕快把兒子們叫醒！』然後急急忙忙起來了。

鐵木眞等幾個兒子，動作迅速，飛快跑出帳篷，去抓自己的馬。在蒙古遊牧地區，很少有人將馬拴在馬槽裡過夜的，多半都是把馬加上腳絆，使馬匹可以自由在離家不遠的地方吃草，自在的走來走去，有時，馬匹也

會走到兩三里外的地方去閒逛。所以，要騎馬的時候，必須先把馬抓回來。由於馬匹不夠用，因此鐵木眞夫人孛兒帖缺了馬，一籌莫展。忠心的老女僕把孛兒帖藏在一輛有黑篷的車子裡，套上了一匹花牛，也向不兒罕山奔去。

牛車剛走不久，立刻迎面遇上了蔑兒乞人。原來，此次前來的不是泰赤烏人，而是蔑兒乞人。

想當初，鐵木眞的母親月倫，原是蔑兒乞人也客赤列都的新娘，在迎娶之時，半途殺出個也速該，驚見月倫貌美如花，約了兄弟們搶親，把月倫奪了回來，當了也速該的妻子。

蔑兒乞人的新娘被搶跑了，又氣又恨，早想找機會報復。也速該生前，武力強悍，只好容忍到底。也速該死後月倫母子一再遷移，蔑兒乞人不知其下落，直到此時才打聽出來，鐵木眞一家住在克魯倫河，勢力單薄，正是一雪前恥的最佳時機。

蔑兒乞人兇巴巴的攔住牛車，問道：『你是什麼人？』

老女僕鎮靜的回答：『我是鐵木眞家裡的人，剛去主人家剪完了羊毛，要回到我自己的家去。』

『鐵木眞在家嗎？他家離這兒有多遠？』

『遠倒是不遠，可是不知道在不在家，我是從後邊出來的。』

『噢，那你走吧！』蔑兒乞人對老女僕的回答倒是相當滿意。（按蒙古習俗穹帳的安排是，卑下的人帳幕設在東北角，他們的出入，不經過主人穹帳之前，而是由後面繞過去。）

於是，蔑兒乞人放馬小跑走了。

老女僕立刻猛抽牛背，正要趕快跑，不幸的，車軸斷了，蔑兒乞人又在樹林裡捉住別勒古臺的母親（就是鐵木真的庶母），提著她兩條腿，奔過來問：『這車裡載的是什麼？』

老女僕說：『羊毛。』

蔑兒乞人中一個較年長的說：『弟弟們，孩子們，下馬看看。』

一大群蔑兒乞人七手八脚，把車子的門摘了下來，赫然看見一位漂亮的貴婦人坐在裡面，他們馬上猜到這是鐵木真年輕漂亮的妻子，興奮的把孛兒帖從車子裡拖了出來。

蔑兒乞人圍著不兒罕山，一連展開三次搜捕行動，都徒勞往返，因爲不兒罕山林木稠密，連『吃飽的蛇都難以穿過去』，只在此山中，雲深不知處。蔑兒乞人心想，當初也速該搶走了月倫，如今蔑兒乞人搶走了也速該的妾，外加鐵木眞的妻子，也算是報仇了，便一陣呼嘯而去。

鐵木眞聽說敵人已走，不知是眞是假，不敢冒冒失失跑出來，他派遣了別勒古臺出山，偷偷跟在蔑兒乞人後面，一連跟了三天三夜，確定蔑兒乞人回家了，鐵木眞一行才自不兒罕山下來。

鐵木眞到了山脚，他捶著胸說：

『使豁阿黑臣老母（老女僕）

像鼬鼠般能聽的緣故，

像銀鼠般能看的緣故，
才使我身體能夠躲避。
不兒罕山蔭庇了我這小如螻蟻的性命。
我好受驚嚇啊！
對於不兒罕山
每天清晨要祭祀，
每日白晝要祝禱，
我子子孫孫
切切銘記！』
禱告完畢之後，鐵木眞依照蒙古風俗，面對日光，解下腰帶，掛在脖子上，左手拿帽，右手捶胸，跪拜了九次。（按蒙古習俗之中，九是最大的，也是吉祥、富足的象徵，因此，九次跪拜是最崇敬之禮。）

閱讀心得

【第547篇】

鐵木眞奪回妻子。

上一篇我們說到，蔑兒乞人爲了報復也速該搶走月倫的仇恨，把鐵木眞的妻子，別勒古臺的母親（鐵木眞的庶母）一塊兒擄去，分別配給蔑兒乞人當老婆。

鐵木眞與孛兒帖，一向感情很好，氣得牙齒吱吱咯咯響，他知道一個人對付不了蔑兒乞人，只好去請求義父王罕幫忙。

王罕倒是很夠意思，他一拍胸脯道：『去年我穿上你送來的黑貂皮褂子時，我不是就說過嗎，要把你那散失的百姓再集合起來。這件事我會擺在腰子的尖裡、胸膈的腔裡。』意思是銘刻在心。

爲了萬無一失起見，王罕又建議邀請札木合加入，他說：『我要毀滅所有的蔑兒乞人，你派人去通知札木合做左翼，我派兵兩萬當右翼，我們三面夾攻，一定會勝利。』

鐵木眞與札木合也是老朋友了，當鐵木眞十一歲的時候，兩人就互換髀骨，成爲安荅，就是結拜兄弟。

蒙古小孩沒有什麼玩具，多半就是玩髀骨。髀骨是大腿骨，共有四面，均作凹凸不平狀。在冬天大雪紛飛時，青少年多半在冰上投擲或者踢牛髀骨當遊戲，羊的髀骨最小，多半用於室內，比賽誰彈得準。

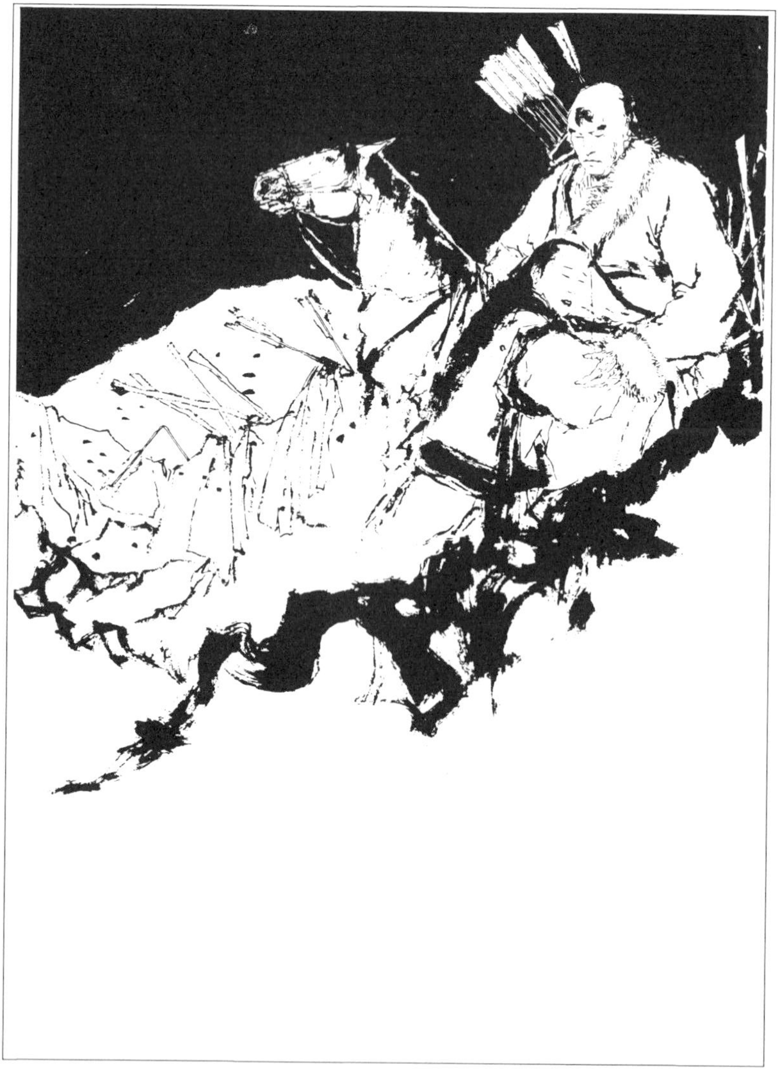

札木合說：『鐵木眞的床鋪給弄空了（意思是妻子被擄走了），我的心都疼了，肝也疼了，我們既然是心肝一般的親族，就該同心合力撞毀蔑兒乞人的營帳骨子，撞折他們供奉福神的門框。』

於是，札木合『祭了遠處能看見的高軍旗，打了用犍牛皮製作，敲起來有沉重之聲的戰鼓，騎著黑脊的快馬，穿上用皮繩繫成的鎧甲，拿起有柄的環刀，扣好了帶箭扣兒的利箭』，帶著兩萬人馬，趕來會師。

王罕的兩萬人，加上札木合的兩萬人，以及一萬名也速該死後歸來的舊部一起在斡難河上源集合。札木合慷慨激昂的說：『看啊，這就是我們蒙古諺語所說的，就是有風雪，也要守約，就是下雨，在約會的時候，也不得落後。』

話說蔑兒乞人，原是興高采烈，慶賀報了一箭之仇，他們把孛兒帖許配給也客赤列都的弟弟——赤勒格兒。當初月倫就是在嫁給也客赤列都迎娶途中，被也速該攔截搶去的。

現在孛兒帖的配給丈夫開始後悔了，他懊喪的說：『老烏鴉的命本該是吃殘皮剩殼的，我不自量力，竟想吃鴻雁、仙鶴，侵犯到極尊貴的夫人，這次招惹到孛兒帖，全蔑兒乞人都將遭殃，我這羊糞一般的命也要慘了。我想鑽進幽暗峽谷中躲一躲，可是，誰能做我的圍牆保護我呢？』說完，他就夾著尾巴逃命去了。

當天晚上，蔑兒乞人順著薛涼格河驚慌逃難，蒙古聯軍沒有遇到絲毫的抵抗，在敵人的區域裡盡情的燒殺擄掠，鐵木眞在兵荒馬亂之中高聲的喊著：『孛兒帖，孛兒帖！』

孛兒帖與老女僕豁阿黑臣正縮成一團躲在車裡，聽到熟悉的洪亮的聲音，互相面對面，交換了驚喜的眼神，就跳下車，循著聲音的來源尋找。在一片漆黑的夜裡，孛兒帖仍然一眼認出了鐵木眞的韁轡，她呼喚鐵木眞的名字，鐵木眞轉眼見到孛兒帖，大喜過望，兩人熱烈的擁抱在一起，老女僕豁阿黑臣在一旁看著，眼睛也溼溼熱熱的。

鐵木眞急著與孛兒帖敘敘舊，暫時不準備再前進，他派人告訴王罕與札木合說：『我所要的，已經得到了，夜間不必兼程前進，我們就在此地下寨吧。』

鐵木眞歡天喜地找回失去的妻子，他同父異母的弟弟別勒古臺，卻因爲尋不著母親暗自神傷。

有人告訴別勒古臺，他母親在前面的營子裡，別勒古臺與匆匆的趕去，他母親卻穿著有洞的破羊皮襖，從門的左側溜走了。

他母親對人說：『我聽說兒輩們都做了可汗（意思是指做了王罕的義子），我卻在這裡被配給了壞人，我哪兒有臉去見我兒子的臉呢？』說罷，她就到樹林裡躲了起來，不肯再和兒子見面。

別勒古臺找不到母親，怒不可遏，像發瘋似的，一面唸唸有辭：『還我的母親來！』一面逢人就殺，見人就砍，據說殺了三百多蔑兒乞人，凡是可做爲奴僕的都用做奴僕。

鐵木眞也兇性大發道：『讓我們把蔑兒乞百姓的胸腔弄穿，把他們的肝臟搗碎，把他們床位掠空，把他們的親族毀滅，把他們殘餘的人都俘虜了吧！』

孛兒帖回來以後不久，生下了長子朮赤。後來鐵木眞西征時，想以朮赤爲繼承人，次子察合臺便反對，他的理由是：『他是蔑兒乞人的種，我怎肯受他管。』

朮赤一聽，怒火中燒，兩人幾乎當場動手打了起來。說起來，也不能怪察合臺不服，因爲鐵木眞爲長子取名爲朮赤，而朮赤在蒙古語中的意義是『客人』。

鐵木眞經過這一戰，威望與聲譽日隆，塞外草原上的人民，都推崇他爲英雄，於是部族實力強大，過去的舊部紛紛來歸。

閱讀心得

閱讀心得

閱讀心得

歷代・西元對照表

朝　　代	起迄時間
五帝	西元前2698年～西元前2184年
夏	西元前2183年～西元前1752年
商	西元前1751年～西元前1123年
西周	西元前1122年～西元前 771年
春秋戰國(東周)	西元前 770年～西元前 222年
秦	西元前 221年～西元前 207年
西漢	西元前 206年～西元 8年
新	西元 9年～西元 24年
東漢	西元 25年～西元 219年
魏(三國)	西元 220年～西元 264元
晉	西元 265年～西元 419年
南北朝	西元 420年～西元 588年
隋	西元 589年～西元 617年
唐	西元 618年～西元 906年
五代	西元 907年～西元 959年
北宋	西元 960年～西元 1126年
南宋	西元 1127年～西元 1276年
元	西元 1277年～西元 1367年
明	西元 1368年～西元 1643年
清	西元 1644年～西元 1911年
中華民國	西元 1912年

國家圖書館出版品預行編目資料

全新吳姐姐講歷史故事. 24. 南宋/吳涵碧 著.
--初版.--臺北市；皇冠，1995〔民84〕
面；公分（皇冠叢書；第2490種）
ISBN 978-957-33-1234-5（平裝）
1. 中國歷史

610.9　　　　84007239

皇冠叢書第2490種
第二十四集【南宋】
全新吳姐姐講歷史故事〔注音本〕

作　　者—吳涵碧
繪　　圖—劉建志
發 行 人—平雲
出版發行—皇冠文化出版有限公司
台北市敦化北路120巷50號
電話◎02-27168888
郵撥帳號◎15261516號
皇冠出版社(香港)有限公司
香港銅鑼灣道180號百樂商業中心
19字樓1903室
電話◎2529-1778　傳真◎2527-0904
印　　務—林佳燕
校　　對—皇冠校對組
著作完成日期—1992年01月01日
香港發行日期—1995年09月25日
初版一刷日期—1995年10月01日
初版二十九刷日期—2021年05月
法律顧問—王惠光律師

讀者服務傳真專線◎02-27150507
電腦編號◎350024
ISBN◎978-957-33-1234-5
Printed in Taiwan
本書定價◎新台幣150元/港幣45元